HEINRICH LEOPOLD WAGNER

Die Kindermörderin

(The Murderess of her Child)

EIN TRAUERSPIEL

(1776).

IM ANHANG: *revision*
AUSZÜGE AUS DER BEARBEITUNG VON K. G.
LESSING (1777) UND DER UMARBEITUNG VON *remodelling*
H. L. WAGNER (1779) SOWIE DOKUMENTE ZUR *revision*
WIRKUNGSGESCHICHTE.

HERAUSGEGEBEN VON
JÖRG-ULRICH FECHNER

PHILIPP RECLAM JUN. STUTTGART

Universal-Bibliothek Nr. 5698[2]
Alle Rechte vorbehalten. © 1969 Philipp Reclam jun., Stuttgart
Gesamtherstellung: Reclam, Ditzingen. Printed in Germany 1981
ISBN 3-15-005698-5

Die

Kindermörderinn

ein

Trauerspiel.

VI Aufzug pag 113

Leipzig,
im Schwickertschen Verlage.
1776.

Personen.

Martin Humbrecht, ein Metzger.
Frau Humbrecht.
Evchen Humbrecht, ihre Tochter.
Lisbet, ihre Magd.   5
Magister Humbrecht.
Major Lindsthal.
Lieutenant von Gröningseck.
Lieutenant von Hasenpoth.
Wirthinn im gelben Kreutz.   10
Marianel, eine Magd darinn.
Frau Marthan, eine Lohnwäscherinn.
Fiskal.
Zween Fausthämmer.
Blutschreyer, Geschworne; (stumme Personen.)   15

Der Schauplatz ist in Straßburg, die Handlung währt neun Monat.

---

13 *Fiskal:* Rechtsvertreter des Fiskus, d. i. der landesfürstlichen Einkünfte und der Rechte, die er im Namen des Fürsten zur Klage bringt.

14 *Fausthämmer:* Straßburger Bezeichnung für Gerichtsknechte, gebildet nach ihrem früheren Wahrzeichen (F. = Gewehr).

15 *Blutschreyer:* Ankläger eines Totschlägers; Fronbote des hochnotpeinlichen Halsgerichts.

Erster Akt.

(Ein schlechtes Zimmer im Wirthshaus zum gelben Kreutz: die Art, wie es meubliret seyn muß, ist aus dem Akt selbst zu ersehn: auf der Seite eine Thüre, die in eine
5 *Nebenkammer führt. Lieutenant von Grö-*
ningseck führt Frau Humbrecht an der Hand herein. Evchen ihre Tochter geht hinter drein: die Frauenzimmer haben Domino, Er eine Wildschur an; alle noch ihre Masken vor.)

10 M a r i a n e l. *(setzt ein Licht auf den Tisch, im Abgehn.)* Sie haben schon befohlen? *(Lieutenant winkt ja, Magd ab.)*

F r. H u m b r e c h t. *(die Maske vom Gesicht ziehend.)* Herr Hauptmann! sie stehn mir doch –

15 v. G r ö n i n g s e c k *(wirft Wildschur, Maske und Hut hin.)* Für alles, liebe Frau Humbrecht! für alles! – Ein Mäulchen, Kleine! das ist Ballrecht: *(zieht Evchen die Maske auch ab)* sey doch nicht so kleinstädtisch; ein Mäulchen! sag ich: *(küßt sie; zur Mutter)* Noch aber
20 bin ich nicht Hauptmann, und ich laß mich nicht gern mehr schelten, als ich bin.

[6] F r. H u m b r e c h t *(verneigt sich)* Wie sie befehlen: sie stehn mir doch, Herr Major –

v. G r ö n i n g s e c k. Bravo! bravo! immer besser! ha
25 ha ha!

E v c h e n. Ey, Mutter, stell sie sich doch nicht so artig; Major ist ja noch mehr als Hauptmann, sie weiß ja gar nichts. – Der Herr Lieutenant wohnt schon einen gan-zen Monat bey uns –

30 v. G r ö n i n g s e c k. Einen Monat und drey Tage, mein Kind! ich hab jede Minute gezählt.

8 *Wildschur:* Großer Wolfspelz.
17 *Mäulchen:* Kuß.

E v c h e n. Denk doch! ist ihnen die Zeit so lang geworden.
v. G r ö n i n g s e c k. Noch nicht! aber bald möchte sie
   mirs werden, wenn du nicht –
E v c h e n. Du! seit wann so vertraut?   5
v. G r ö n i n g s e c k. Zank nicht Evchen! zank nicht!
   müßt mir heut nichts übel nehmen Leutchen, ich hab
   ein Gläschen Liqueur zuviel.
F r. H u m b r e c h t. Was ich fragen wollt, Herr Leutenant, sie stehn mir doch davor, daß wir in einem   10
   honetten Haus sind?
v. G r ö n i n g s e c k. So soll mich der Teufel lebendig
   zerreißen, Frau Humbrecht! wenn hier nicht täglich
   alles, was beau monde heißt, zusammenkommt: – sehn
   sie nur an, wie schlecht das Zimmer meublirt ist. –   15
F r. H u m b r e c h t. Eben drum!
v. G r ö n i n g s e c k. Eben drum! freilich, eben drum!
   Das macht die guten Zimmer sind alle schon besetzt.
   Meynt sie denn pardieu! der Lieutenant [7] von Gröningseck würde sich sonst in einen solchen Stall weisen 20
   lassen. Drey Stühl, und ein Tisch, den man nicht an-
   rühren darf! (er stößt daran, der Tisch fällt um, das
   Licht mit, geht aus.)
F r. H u m b r e c h t. Herr Jemine das Licht! Herr Leu-
   tenant, das Licht!   25
v. G r ö n i n g s e c k (ihr nachäffend.) Das Licht! das
   Licht! hat der Henker das geholt, so gibts noch andre.
   – Wo ist der Leuchter? – (sucht.)
E v c h e n. Hier hab ich ihn schon.
v. G r ö n i n g s e c k. Wo? wo?   30
E v c h e n. Ey hier! sie greifen ja dran vorbey – pfuy! –
F r. H u m b r e c h t. Was ist? was giebts?
v. G r ö n i n g s e c k. Gar nichts! (nimmt den Leuchter
   ab, und geht nach der Thüre) Hola, des flambeaux!
   (Ein altes Weib hält ihm ohne sich recht sehn zu lassen 35
   ein Licht hin, er steckt seines an.)
E v c h e n (sich die Hände am Schnupftuch abwischend)
   Ey da hab ich mir die Hände am Inschlitt beschmiert.

---

38 *Inschlitt:* Obd. für Unschlitt; Kerzentalg.

(Wirft dem Lieutenant heimlich einen drohenden Blick zu: er lächelt)

Fr. Humbrecht. Wenns sonst nichts ist –

v. Gröningseck. *(stellt den Tisch wieder auf, das Licht drauf.)* Das war ma foi ein Hauptspaß! eben red ich von dem krüpplichten Hund, da stürzt die Kanaille zu Boden – Bald hätten wir das Beste übersehn, le diable m'emporte, c'est charmant! c'est divin! seht doch das Stellagie da an, halb Bett, halb Kanape; ich glaub gar es ist [8] ein Feldschragen, den sie aus dem Spital gestohlen haben; ha ha ha! – Was wett ich, sie haben kein so schönes Brautbett gehabt, Frau Humbrecht? – Zwar nur ein Strohsack – *(drückt mit der Hand drauf)* aber doch gut gefüllt, – elastisch! –

Fr. Humbrecht *(halb böse.)* Ey was, Herr Leutenant! in Gegenwart meiner Tochter.

v. Gröningseck. Muß ich sie küssen – guckst scheel Evchen? – noch einmal, dem Evchen zum Possen! – so! aller guter Ding sind drey. – *(geht auf Evchen los, bietet ihr die Hand, sieht ihr starr in die Augen, sachte zur Tochter)* Das war Strafe für dein unzeitiges Pfui! *(Evchen lacht, schlägt ein.)*

Fr. Humbrecht *(während obiger Pantomime)* Er ist zum Fressen der kleine Narr! man muß ihm gut seyn, nicht ob man will: wie Quecksilber, bald da, bald dort.

Marianel *(kommt)* Befehlen sie, daß man aufträgt?

v. Gröningseck. Das versteht sich pardieu! je eher je besser, und je mehr je lieber!

Fr. Humbrecht. Komm Eve! ich muß den Domino ein wenig ausziehn, es wird mir so warm ums Herz.

Evchen. Mir auch Mutter! *(nimmt der Magd die Lampe ab, und geht mit ihrer Mutter ins Nebenzimmer.)*

[9] v. Gröningseck. Desto besser! *(sachte)* für mich. *(ruft ihnen nach)* Soll ich die Kammermagd vorstellen? ich kann perfekt mit umgehn. –

---

9 *Stellagie:* Gerüst, Untergestell.
10 *Feldschragen:* Gestell eines Feldbettes.

F r . H u m b r e c h t. Ey ja! das wär mir schön. Nein so
eine Kammermagd wär uns viel zu vornehm.

E v c h e n. Wir könnens ohne sie, Herr Blaurock! *(schabt
ihm hinterrücks der Mutter ein Rübchen, und schlägt
die Thür zu.)*

v. G r ö n i n g s e c k. Wo führt denn dich das Donnerwetter hierher, Marianel? bist nicht mehr im Kaffe-
haus dort an der Eck? – das kleine Stübchen war sehr
bequem –

M a r i a n e l. Gar recht, daß du selbst davon anfängst,
du Teufelskind – gar recht! bist mir auch noch's Christkindel schuldig, gleich gib mirs, oder ich verrath dich. –

v. G r ö n i n g s e c k. Ich – dir schuldig? hab ich dir
nicht jedesmal deinen kleinen Thaler gegeben, wenn –

M a r i a n e l. Ja schön allemal bezahlt! wie oft hab ich
dir borgen müssen? gelt du weist es nit du Saufigel, wie
er den Sonntag vor Weihnachten noch des Nachts um
zwölf einen Lerm machte, als wollt er das Haus stür-
men, und wie ich ihn heimlich zur Hinterthür herein
ließ, und wie ich ihm Thee kochte, und wie er mich
über und über bespie, und –

[10] v. G r ö n i n g s e c k. Und – und – halts Maul zum
– hier sind sechs Livres du Schindaas – Aber eins must
du mir zu Gefallen thun –

M a r i a n e l. Alles, alles mein Kostbarle! sag! red! *(will
ihn liebkosen.)*

v. G r ö n i n g s e c k *(stößt sie von sich.)* Das ist heut
überflüßig: wenn der Soldat Eyerweck hat, frißt er
kein Kommißbrod.

M a r i a n e l. Denk doch, Kostbarle bist sehr verschleckt;
wirst froh seyn und von selbst wiederkommen.

v. G r ö n i n g s e c k. Das denk ich auch, Narr! so bös
ists nicht gemeynt! – sieh, da ist ein Päckchen das
nimm, und wenn ich um Punsch ruf, so thu das Pulver,
das drinn ist, ins erste Glas voll, das du auf den Tisch
stellst. –

3 f. *ein Rübchen schaben:* Spottgeste: mit einem Zeigefinger über
den andern streichen.

11 f. *Christkindel:* Weihnachtsgeldgeschenk.

28 *Eyerweck:* Brötchen; Semmel.

M a r i a n e l. Geh du zum lüftigen Teufel mit samt deinem Pulver, du tausendsakerment! willst mich die Leut
vergiften machen? – meynst ich hab kein Gewissen,
du Höllenhund? –

5 v. G r ö n i n g s e c k. So hör mich doch an Marianchen!
sakerment hör mich, oder – Es ist kein Gift, ein kleiner Schlaftrunk ists, wenns doch wissen willst – und
hier ist noch ein großer Thaler –

M a r i a n e l. Ja so! das ist was anders – so gib nur her.
10 *(Sie greift nach dem Geld, er steckts wieder ein.)*

v. G r ö n i n g s e c k. Hier ist das Pulver – mach deine
Sachen ja klug! wenn ich fortgeh, kriegst du den großen Thaler.

[11] M a r i a n e l. Warum nicht gleich?
15 v. G r ö n i n g s e c k. Einer Hur ist niemals zu trauen –

M a r i a n e l *(im Fortgehn.)* Keinem Schelmen auch nicht,
und wenn keine Hurenbuben wären; so gäbs lauter
brave Mädels. – Darfts wohl noch schimpfen ihr – erst
schnitzt ihr euch euren Herrgott, dann kreuzigt ihr ihn. –
20 v. G r ö n i n g s e c k. Halts Maul! und thu was ich dir
sagte.

M a r i a n e l. 'S wird einen Dreck nutzen. *(ab)*

v. G r ö n i n g s e c k. Das ist meine Sorge! Es müßte
toll hergehn, wenn ich die Alte nicht über den Gäns-
25 mist führen sollt. – *(zu Evchen, die zurück kommt, die
Mutter hinter drein.)* So, ma chere, das ist recht, das
ist schön, sehr schön! – le diable m'emporte – siehst so
recht appetitlich aus! so dünn und leicht angezogen!
– bist auf mein Ehr recht hübsch gewachsen, so schlank!
30 alles so markirt! –

F r. H u m b r e c h t. Na, Herr Leutenant, wie seh denn
ich aus? gelt! zum Spektakel –

v. G r ö n i n g s e c k *(ohne sie anzusehn.)* Superb, superb! das Neglische steht ihnen recht gut.
35 F r. H u m b r e c h t. Ja, das sagt er so: Gedanken sind
zollfrey, denkt er; – wenn nur ein Spiegel da wäre! –

v. G r ö n i n g s e c k. Wie göttlich schön dir das deran-
girte Haar läßt, mein Liebchen! kann mich nicht satt

---

24 f. *über den Gänsmist führen:* Übertölpeln.

an dir sehn: – die Zöpfe so flott! *(küßt sie und* [12] *führt sie, den Arm um ihren Leib geschlungen, dem Tisch zu, setzen sich nebeneinander.)*

Fr. Humbrecht *(sich mittlerweil betrachtend.)* Du hast fast recht, Eve, ich hätte den Domino wieder umwerfen sollen – jetzt seh ichs erst, bey der Lampe hab ichs nicht so bemerkt – mein Mantlett ist fast gar zu schmutzig. 5

Evchen. Habs ihr ja gleich gesagt, aber da hat sie keine Ohren gehabt. 10

v. Gröningseck. Es ist gut, Leutgen! 's ist gut! Frau Humbrecht 's ist gut, sag ich.

Fr. Humbrecht. Na denn! wenns nur ihnen gut genug ist, – *(geht zu ihm und spielt ihm an der Epaulette)* – ich hab eben gedacht, unter der Maske sieht 15 mans ja nicht, obs rein oder schmutzig ist, und thust du ein weißes an, dacht ich, so wirds doch auch verkrumpelt.

v. Gröningseck. Eine vortrefliche Haushälterinn, bey meiner Treu! *(läßt Evchens Hand gehen, packt* 20 *ihre Mutter um den Leib, und stellt sie zwischen seine Beine)* très bonne ménagère! – sind sie denn nicht müde geworden auf dem Ball, mein Weibchen?

Fr. Humbrecht. Ey wer kann denn da müd werden, es gibt immer etwas zu sehn! immer was neues! 25 ich hätt, glaub ich, noch die ganze Nacht und den ganzen Tag durch ohngegessen und ohngetrunken auf einem Fleck sitzen können.

Evchen. Ich nicht! am Zusehn hätt ich gar keine Freud. 30

[13] v. Gröningseck. Du machst lieber selbst mit, nicht wahr?

Evchen *(unschuldig.)* Ja!

Fr. Humbrecht *(lacht; sich recht auszulachen bückt sie sich vorwärts an des Lieutenants Brust, das Gesicht* 35 *von Evchen abgekehrt: Er spielt ihr am Halsband, sie drückt ihm die Hand, und küßt sie.)* Das hat sie nicht

---

7 *Mantlett:* Mäntelchen; kurzes Überkleid ohne Ärmel.
17 f. *verkrumpelt:* Zerknittert.

verstanden: müssen ihr ihre Dummheit nicht übel aus-
legen. *(Sich aufrichtend.)* Sie sind auch gar zu schlimm,
daß sie es nur wissen.

M a r i a n e l *(bringt Essen, hernach Wein und Gläser,*
5   *setzt es hin, geht ab.)*

v. G r ö n i n g s e c k. Allons fix! Platz genommen
meine Lieben! Das Frühstück ist da; – zugegriffen! –
(sie setzen sich, er legt vor) Hier Madam –

F r. H u m b r e c h t. Pfui doch! ich habs ihnen ja schon
10   oft gesagt, ich mag nicht Madam heißen; ich bin halt
Frau schlechtweg – sorgen sie aber auch für sich. –

E v c h e n. Wo denken sie hin? was soll ich mit alle dem
Essen anfangen? *(will wieder in die Schüssel legen.)*

F r. H u m b r e c h t. Laß nur, behalts! – Kanst ja, was
15   du nicht essen kanst, in die Poschen stecken: – nit
wahr? Herr Leutenant! – bezahlt muß es doch werden.

v. G r ö n i n g s e c k. Richtig, mein Weibchen! *(kneipt*
ihr in die Backen, und schielt auf Evchen.) Ma foi sie
20   haben Verstand wie ein Engel; gleich wissen sie sich
zu helfen. – Pardieu! der Mus-[14]katenwein ist vor-
treflich! *(stößt an)* Unsre Gesundheit! – der künftige
Mann, Evchen!

F r. H u m b r e c h t. O das hat noch Zeit; – sie ist erst
25   achtzehn Jahr alt.

v. G r ö n i n g s e c k. Schon drey Jahr verlohren!

F r. H u m b r e c h t. Denk doch! und ich war nächst an
den vier und zwanzigen, als ich meinen Humbrecht
kriegte, und doch lachten mich meine Kameräden all
30   aus, daß ich so jung heyrathete.

v. G r ö n i n g s e c k. Gothische Zeiten! Gothische Sitten! – *(stößt an)* Nun die Brautnacht, Frau Humbrecht!

F r. H u m b r e c h t. Hi hi hi! sie wollen mir, glaub ich
35   ein Räuschchen anhängen, nein, nein! da wird nichts
draus. – Na denn; meinem lieben Mann zu Ehren; ich
geb mir die Ehr – *(will aufstehn.)*

v. G r ö n i n g s e c k *(hält sie davon ab.)* Ohne Kompli-

15 *Poschen:* Taschen.

menten! wir trinken noch eine Bouteille, und dann
setzen wir ein Gläschen Punsch oben drauf.

Fr. H u m b r e c h t. Behüt und bewahre! Das würde
mir eine schöne Wirthschaft geben: – nein, nein! wenns
ihnen gefällig ist, wollen wir jetzt aufbrechen –   5

v. G r ö n i n g s e c k. Aufbrechen? jetzt schon? rappelt
dirs Weibchen? – *(faßt sie um den Hals.)* Wahrhaftig,
da würden wir uns schön affigiren. – *(sieht auf die
Uhr)* erst halb drey! die ganze Nachbarschaft würde
uns auslachen, wenn wir um halbdrey schon vom Ball   10
nach Haus kämen. – [15] Lassen sie sich nur nichts davon träumen Frau Humbrecht! – Vor einer Stunde
kommen sie mir nicht vom Fleck hier, und dann fahren wir noch erst wieder auf den Ball zurück; – ich
hab Kontermarken genommen.   15

E v c h e n. O ja Mutter! noch auf den Ball wieder!

Fr. H u m b r e c h t. Na so denn! weil ich dir doch eine
Freude hab machen wollen; und weil uns der Herr
Leutenant so viel Ehr erzeigt, so will ichs denn nur
erlauben – dein närrischer Vater läßt dich ja so nie aus   20
dem Haus. –

v. G r ö n i n g s e c k. Das heiß ich geredet: wenn man
nur selten ans Vergnügen kommt, so muß mans auch
recht genießen, zudem ist heute der letzte Ball für dies
Jahr: also – Frisch Evchen! nicht so geleppert, das Glas   25
muß aus: *(Evchen leerts.)* So bist brav! sollst auch ein
Mäulchen haben! – *(küßt sie.)* Hola! la maison!
(Marianel macht die Thür auf) Punsch! *(Magd wieder
ab.)*

2 *Punsch:* »... ein Getränk, welches aus Branntwein, sauren Säf-
ten, Zucker und Wasser bereitet und so wohl kalt als warm getrunken wird ... Wir haben das Wort von den Engländern bekommen,
bey welchen es aber auch nicht einheimisch ist, sondern mit dem Ge-
tränke selbst aus Ostindien herstammet. Der Nahme soll von dem
Malabarischen Worte Panscha, fünfe, abstammen, weil dieses Getränk aus fünf Ingredienzien bereitet wird.« (Adelung, ²1798, Bd. III,
Sp. 865.) – Vgl. aber G. Baist, in: Zeitschrift für deutsche Wort-
forschung 12 (1910), S. 300.

8 *sich affigiren:* Die Aufmerksamkeit auf sich ziehen.

15 *Kontermarken:* Wiedereinlaßbillets.

25 *geleppert:* Zaghaft geschlürft.

E v c h e n. Was ist denn der Punsch eigentlich für ein
Getränk, Mutter?

F r. H u m b r e c h t. Ich weiß selbst – es ist halt –

v. G r ö n i n g s e c k. Wie Evchen, du weist nicht, was
5 Punsch ist, hast noch keinen getrunken? – Ihr Leute
lebt ja, wie die Bettelmönche – schon achtzehn Jahr
alt, und heut zum erstenmal auf den Ball gewesen,
und weiß nicht, was Punsch ist? – Ein Nektar! ein
Göttertrank ists! le [16] diable m'emporte, s'il n'est
10 pas vrai! Wenn ich König von Frankreich wär, so
wüßt ich mir dennoch kein delikaters Gesöff zu ersin-
nen, als Punsch; der ist und bleibt mein Leibtrank, so
wahr ich – Ah le voila! *(Marianel bringt drey Schop-*
pengläser auf einem Kredenzteller; er nimmt ihr eins
15 *nach dem andern ab, beym ersten das sie ihm hinhält,*
frägt er sie) Ist das vom Rechten?

M a r i a n e l *(sich tief verneigend.)* Ihnen gehorsamst
aufzuwarten. – *(zwickt ihn ungesehn der andern im*
Arm, er sieht sie stolz an, und macht eine Bewegung
20 *mit der Hand, daß sie fortgehn soll: sie verneigt sich*
nochmals und geht mit Mühe das Lachen verbeißend,
ab.)

F r. H u m b r e c h t *(hält das Glas an die Nase.)* Ja da
kommen sie mir schön an, beym Blut; da trink ich kei-
25 nen Tropfen von; – das riecht einem ja, Gott verzeih
mirs! so stark in die Nase, daß man vom blosem Ge-
ruch besoffen wird.

v. G r ö n i n g s e c k. Grade das Gegentheil, Weibchen!
grade das Gegentheil; – ich geb ihnen meine parole
30 d'officier, oder auch meine parole de maçon, welche
sie wollen, daß ich mich schon mehrmals zwey auch
dreymal in einem Nachmittag besoffen, und jedesmal
im Punsch mich wieder nüchtern getrunken habe.

E v c h e n. Ja sie: sie haben den Magen schon ausge-
35 picht, aber ich bin gar nichts starkes gewohnt.

[17] v. G r ö n i n g s e c k. Gut! so will ich kapituliren:
Evchen trinkt soviel sie will, und ihren Rest nehm ich

24 *beym Blut:* Straßburger Beteuerungsform.
30 *parole de maçon:* Ehrenwort als Freimaurer.
34 f. *ausgepicht:* Mit Pech abgedichtet.

noch auf *mich*; die Mama aber leert ihr Glas, so ist
hübsch die Proportion gehalten. – Allegro! ins Gewehr! – *(Er reicht jeder ihr Glas, nimmt seines, stößt
an, sie trinken.)*

E v c h e n *(speit aus.)* Pfui! das brennt einen ja bis auf   5
die Seele.

F r. H u m b r e c h t. Du Unart! geht man denn mit
Gottes Gab so um? *(trinkt wieder fort)* – Mir schmekts
ganz gut – fast wie Rossoli.

v. G r ö n i n g s e c k. So ungefähr, ja! wenns ihnen nur   10
schmeckt, Weibchen. – Aber eins Evchen, must du mir,
wenn wir wieder auf den Ball fahren, versprechen,
daß du dir keinen Teutschen mit jemand anders, als
mit mir tanzest; Kontertänz so viel du willst.

F r. H u m b r e c h t. Gelt! sie kann nichts? hats eben   15
wieder verlernt. –

v. G r ö n i n g s e c k. Nicht doch! – sie tanzt nur zu gut,
macht ihre Figuren, Wendungen, Stellungen mit *zu*
viel grace, *zu* reizend, *zu* einnehmend – ich kanns
ohne heimlich eifersüchtig zu werden, nicht mit an-   20
sehn.

F r. H u m b r e c h t. Ey sie belieben halt zu vexiren! –
sie hat zwar drey Winter hintereinander beym Sauveur
Lektion genommen. –

v. G r ö n i n g s e c k. Beym Sauveur! – pardieu! da   25
wunderts mich nicht mehr – ich hab auch bey ihm re-
petirt: – c'est un excellent [18] maitre pour former
une jeune personne! – sein Wohlseyn! *(Fr. Humbrecht
und er trinken)* – aber, comment diable kamen sie an
den Sauveur? der hat ja immer so viel mit Grafen und
Baronen zu thun –

E v c h e n. Es waren auch drey Baronen und ein reicher
Schweitzer, die beym Herr Schaffner neben uns logir-
ten, und weil sie noch Frauenzimmer brauchten, so
luden sie mich auch ein.   35

9 *Rossoli:* Rosoglio-Likör, ein aus Blüten und Früchten her-
gestelltes Modegetränk.

13 *Teutschen:* Einzelpaartänze.

14 *Kontertänz:* Gruppentänze mit Partnerwechsel.

22 *vexiren:* Unnötig Beschwerde, Mühe oder Unlust verursachen.

v. G r ö n i n g s e c k. Die Kerls hatten, hohl mich der
Teufel! keinen übeln Geschmack. – Wie lang ist es?

F r. H u m b r e c h t *(gähnend.)* Schon fünf Jahr, glaub
ich –

5 E v c h e n. Ja so lang ists gewiß, wenns nicht gar sechse
sind.

v. G r ö n i n g s e c k. Das laß ich gelten: – da warst du
zwölf Jahr alt, und stachst doch schon den Barons in
die Augen –

10 E v c h e n. Ey Mutter! sie wird doch, hoff ich, nicht einschlafen wollen?

v. G r ö n i n g s e c k *(faßt sie mit der einen Hand um
den Hals, und hält ihr mit der andern das Glas an
Mund.)* – Das Restchen noch, Frau Humbrecht!

15 F r. H u m b r e c h t *(stößt das Glas von sich.)* Kein
Tropfen mehr. *(er setzt es weg.)* Ich kann die Augen
nicht mehr aufhal – – *(fällt schlafend dem Lieutenant
an die Brust.)*

E v c h e n. Gerechter Gott! was soll das denn [19] seyn?
20 – *(springt ganz erschrocken und besorgt auf, schüttelt
ihre Mutter.)* – Mutter! was fehlt ihr: – hört sie? hört
sie nicht? – Guter Himmel! wenn sie nur nicht krank
wird! –

v. G r ö n i n g s e c k. Sey ruhig Evchen! es hat nichts
25 zu bedeuten – in einer Viertelstunde ist sie wieder so
wach, als vorher: – Der Punsch hats gethan – sie ist
ihn nicht gewohnt.

E v c h e n *(schüttelt sie wieder.)* Mutter! – Mutter! –
sie liegt in Ohnmacht, glaub ich, oder ist gar tod. –

30 v. G r ö n i n g s e c k. Ohnmacht! – Tod! – Narrenspos-
sen! – fühl den Puls hier – sie hat ein wenig zu hastig
getrunken, das ist alles. – Komm Evchen! hilf mir sie
aufs Bett dort führen, sie wird mir warlich zu schwer
so. – *(Evchen und er führen sie ans Bett, und legen sie
35 queer über)* – Pardieu! vorher machten wir uns über
das Stellagie lustig, und jetzt sind wir froh, daß wirs
haben.

E v c h e n *(ganz bestürzt.)* Noch weiß ich nicht, wie mir
geschieht! – hätt ich sie nur zu Hauß!

40 v. G r ö n i n g s e c k *(setzt sich neben die Mutter, zieht*

Evchen nach sich.) Sey doch kein Kind, ma chere! was
ists denn weiter? – wir kommen noch zeitig genug wieder auf den Ball. – *(sieht ihr starr unter die Augen.)*
– Bist du mir gut Evchen?

E v c h e n. Ums Himmelswillen sehn sie mich nicht so   5
an; ich kanns nicht ausstehn.

[20] v. G r ö n i n g s e c k. Warum denn nicht, Närrchen? *(küßt ihr mit vieler Hitze die Hand, und sieht
ihr bey jedem Kuß wieder starr in die Augen.)*

E v c h e n. Darum! – ich will nicht. – *(Er will sie um-*   10
armen und küssen, sie sträubt sich, reißt sich los, und
lauft der Kammer zu.) Mutter! Mutter ich bin verlohren. –

v. G r ö n i n g s e c k *(ihr nacheilend.)* Du sollst mir
doch nicht entlaufen! – *(schmeißt die Kammerthür zu.*   15
Innwendig Getös; die alte Wirthin und Marianel kom-
men, stellen sich aber als hörten sie nichts; nach und
nach wirds stiller.)

W i r t h i n. Räum geschwind ab; – sieh, wie das alte
Murmelthier dort schläft.   20

M a r i a n e l. Hättet ihr mir nur meinen Willen gelassen; weiß wohl, wer jetzt schlafen müßt! – da hätt
man doch auch was fangen können.

W i r t h i n. Ja fangen! – du und der Teufel fang! Die
Offizier sind dir die rechten. – Da verlohr einer vom   25
corps royal vorm Jahr einen lumpichten Kugelring,
hat mir der Racker nit bald's Fell über die Ohren gezogen! – wollt mirs Haus über dem Kopf anstecken,
wenn ihn nicht die Christine noch im Strohsack wieder
gefunden hätt. – Geh du an Galgen mit deinem Fan-   30
gen! – mir komm nit! – – Was steckst im Sack da? he!
Staupbesenwaar! was steckst ein? willst reden? –

M a r i a n e l. St! st! eine Tobacksbüchs: – wir theilen
– gehört dem Marmottel dort. –

[21] W i r t h i n. Gewiß? – wenn sie dem Leutnant ist! –   35

M a r i a n e l. Nein doch, sag ich. – Ich weiß es –

---

27 *Racker:* Elster. – Schimpfwort für eine höchst verächtliche oder
hassenswürdige Person.

32 *Staupbesenwaar:* Für den Stäupebesen des Henkers.

34 *Marmottel:* Murmeltier.

W i r t h i n. So mach fort! – marsch! die Bouteillen können noch stehn bleiben. – Wenn er nach der Zech frägt
– anderthalb Louisdor – *(ab.)*

M a r i a n e l. Schon gut! und eine halbe für mich, macht
5   zwo. *(raumt vollends ab, und schleicht auf den Zehen
hinaus.)*

E v c h e n *(stürzt wieder aus dem Nebenzimmer heraus,
auf ihre Mutter hin.)* – Mutter! Rabenmutter! schlaf,
– schlaf ewig! – deine Tochter ist zur Hure gemacht. –

10   *(fällt schluchzend ihrer Mutter auf die Brust; der
Lieutenant geht ein paarmal die Stub auf und ab, endlich stellt er sich vor sie.)*

v. G r ö n i n g s e c k. So wollen sie denn gar nicht Rai-
son annehmen, Mademoiselle? – wollen sich selbst fürs
15   Teufels Gewalt prostituiren? – alle Welt wissen lassen,
was jetzt unter uns ist?

E v c h e n *(richtet sich auf, bedeckt aber das Gesicht mit
dem Schnupftuch.)* – Fort, fort! Henkersknecht! –
Teufel in Engelsgestalt! –

20 v. G r ö n i n g s e c k. Sie haben Romanen gelesen, wies
scheint? – Ewig schade wärs ja, wenn sie nicht selbst
eine Heldin geworden wären. *(geht wieder auf und ab.)*

E v c h e n. Spott nur, Ehrenschänder, spott nur! – ja ich
hab Romanen gelesen, laß sie um euch Ungeheuer ken-
25   nen zu lernen, mich vor euren Rän-[22]ken hüten zu
können – und dennoch! Gott! Gott! – dein Schlaf ist
nicht natürlich, Mutter! jetzt merk ichs. –

v. G r ö n i n g s e c k. Ums Himmelswillen, so komm
doch zu dir! – du bist ja nicht die erste. –

30 E v c h e n. Die du zu Fall gebracht hast? – bin ichs nicht
– nicht die erste? o sag mirs noch *einmal.*

v. G r ö n i n g s e c k. Nicht die erste, sag ich, die Frau
wurde, eh sie getraut war. – Von dem jetzigen Augenblick an bist du die Meinige; ich schwurs schon in der
35   Kammer, und wiederhohls hier bey allem, was heilig
ist; – auf meinen Knieen wiederhohl ichs. – In fünf
Monaten bin ich majorenn, dann führ ich dich an
Altar, erkenne dich öffentlich für die Meine. –

E v c h e n. Darf ich dir trauen, nach dem, was vorge-
40   fallen? – Doch ja! ich muß – ich bin so verächtlich als

du, verächtlicher noch! – kanns nicht mehr werden,
nicht tiefer sinken! – *(die Thränen abtrocknend.)* Gut
mein Herr Lieutenant, ich will ihnen glauben, – *(steht
auf.)* Stehn sie auf und hören sie meine Bedingung an.
– – Fünf Monat, sagten sie? gut! so lang will ich mich   5
zwingen, mir Gewalt anthun, daß man meine Schande
mir nicht auf der Stirne lesen soll: – aber! – ist es ihr
würklicher Ernst, was sie geschworen haben? – sind sie
stumm geworden? – Ja! oder nein! –

v. Gröningseck. Ja, ja Evchen! so wahr ich hier   10
stehe! –

[23] E v c h e n *(küßt ihn, reißt sich aber, sobald er sie
wieder geküßt, gleich los.)* Hör weiter! so sey dieser
Kuß der Trauring, den wir einander auf die Eh geben.
– Aber von nun an, bis der Pfarrer sein Amen! gesagt,   15
von nun an – hören sie ja wohl, was ich sage – unterstehn sie sich nicht, mir nur den Finger zu küssen; –
sonst halt ich sie für einen Meineidigen, der mich als
eine Gefallene ansieht, der er keine Ehrerbietung mehr
schuldig ist, der er mitspielen kann, wie er will: – und   20
so bald ich das merke, so entdeck ich Vater oder Mutter – es gilt gleich, wer? – dem ersten dem besten alles
was vorgegangen, und sollten sie mich mit Füßen zu
Staub treten! – Haben sie mich verstanden? – warum
so versteinert, mein Herr? – wundert sies, was ich ge-   25
sagt habe? – jetzt lassen sie den Kutscher rufen.

v. Gröningseck. Ich bewundre sie, Evchen! – in
diesem Ton –

E v c h e n. Spricht beleidigte Tugend: – muß so sprechen: – Jetzt hängt es von ihnen ab zu zeigen; ob sie   30
wahr geredet haben.

v. Gröningseck *(will auf sie loß.)* Engelskind! –

E v c h e n *(tritt zurück.)* Schimpfst du mich, Verräther?
– kannst du Engel sagen, ohne an die Gefallne zu denken? gefallen durch dich! –   35

(Lieutenant v. Gröningseck ab, der Vorhang fällt.)

Zweyter Akt.

(Wohnstube im Humbrechtischen Haus; bürgerlich meu-
blirt; auf der Seite ein Klavier. — M a r t i n   H u m -
b r e c h t sitzt ganz mürrisch in einer Ecke, den Kopf
5 *auf die Hand gestützt: F r a u   H u m b r e c h t ar-*
beitet.)

F r. H u m b r e c h t. Ich weiß auch gar nicht, wie du
    mir vorkommst, Mann! – du gönnst deinem Kind, die
    liebe Sonne nicht, die es bescheint, vielweniger ein an-
10   ders Vergnügen.
H u m b r e c h t. Du hast Recht, Frau! – hast immer
    Recht!
F r. H u m b r e c h t. Ists nicht wahr, sag? – sitzt er
    nicht da und macht ein Gesicht, wie eine Kreuzspinne:
15   – wenn wir alle halb Jahr nur einmal zum Haus naus
    schmecken, so ist gleich Feuer im Dach.
H u m b r e c h t. Hast Recht, Frau! hast immer Recht!
    – wenn ich dir aber gutmeynend rathen soll, so halts
    Maul – verschwören will ichs jemals wieder aus dem
20   Haus zu gehn, und sollt alles den Krebsgang nehmen!
F r. H u m b r e c h t. So sag doch warum? du hast keine
    Ursach über mich zu klagen; ich verschleck dir nichts;
    ich versauf dir nichts; ich geh nicht neben hinaus. –
[25] H u m b r e c h t *(lacht ihr unter die Nase.)* O! du
25   bist ein Muster von einer guten Frau; das ist ja stadt-
    kundig; – ewig schade! daß du nicht katholisch bist;
    könntst mit der Zeit wohl gar noch kanonisirt wer-
    den. – Heilige Frau Humbrecht bitt für uns! ha ha ha!
F r. H u m b r e c h t. Spott, wie du willst: ich bin und
30   bleib doch, was ich bin.
H u m b r e c h t. Wer läugnets? du bist und bleibst halt
    in alle Ewigkeit eine – –
F r. H u m b r e c h t. Was eine? – heraus! wenn du was
    weist: heraus! – kanst du mir beweisen, daß ich dir
35   das geringste verwahrlose? – hab ich die Augen nicht
    allerwärts?
H u m b r e c h t. Nur da nicht, wo du sie am allerersten

haben solltst. – Deiner Tochter läßt du zu viel Freyheit, wenn ich denn doch alles zehnmal sagen muß.
F r . H u m b r e c h t . Und du läßt ihr zu wenig – es ist
wohl eine große Sache, daß sie einmal auf dem Ball
gewesen ist; was ist denn übels dran? he! – gehn nicht   5
so viel andre honette Leute auch drauf?
H u m b r e c h t . Es gehört sich aber nicht für Bürgers-
leut – ich bin funfzig Jahr mit Ehren alt geworden,
hab keinen Ball gesehn, und leb doch noch. *(Magister
Humbrecht kommt herein.)*   10
F r . H u m b r e c h t . Er kommt eben recht, Herr Vetter
Magister; mein Mädel wird heut keine [26] Klavierstunde nehmen, und da kann er mir jetzt helfen meinem Mann dort den Kopf zurecht setzen.
M a g i s t e r . Das werden die Frau Baas wohl ohne mich 15
können. – Aber – *(sich das weiße Krägelchen zurecht-
legend.)* darf ich fragen, ist die Jungfer Tochter krank?
H u m b r e c h t . Gar nicht, Vetter! gar nicht! sie fängt
nur an nach der neuen Mode zu leben, macht aus Nacht
Tag und umgekehrt.   20
M a g i s t e r . Das heißt wohl so viel, als sie schläft
noch?
F r . H u m b r e c h t . Ich will ihm nur sagen Herr Vetter Magister. Wir waren gestern Nachts auf dem Ball,
meine Eve und ich; unser Herr Leutenant hier oben,   25
ließ uns die leibliche Ruh nicht: – die ganze Faßnach-
ten über hat er uns alle Sonntag sehr inständig ge-
beten, ihm die Ehr anzuthun; – gestern kam er wieder
und lud uns ein; und da es der letzte Ball war, wie er
sagte, auf den man mit Ehren gehn könnte, denn am   30
mardi gras, sagte er, giengen nur Perukenmacher
drauf, so wollt er sich absolut keinen Korb geben lassen, und –
H u m b r e c h t . Und, weil ich just in meinem Beruf
ausgeritten war, so machten sie sichs zu nutz, und   35
schwänzelten auf den Ball.
F r . H u m b r e c h t . Ist denn da aber was übels dran,
Herr Vetter Magister?
H u m b r e c h t . Da fragst du den rechten! was [27]
weiß ein Klosterer vom Ball? da versteht er grad so   40

viel davon, als von der Mast. – Hängen will ich mich
lassen, wenn er Buch- und Eich-Mast zu unterscheiden
weiß!

Fr. H u m b r e c h t. Je nun! die Herren kommen aber
doch überall herum; sie hören doch auch, was mores
ist: – sag er nur ungescheut, Herr Vetter, ists denn so
was sündlichs ums Ballgehn?

M a g i s t e r. Ihnen diese Frage zu beantworten, muß
ich unterscheiden, werthste Frau Baas! erstlich das
Ballgehn an sich selbst, und zweytens die verschiedene
äußere Umstände, die damit verbunden sind, oder verbunden seyn können, betrachten. – Was nun den er-
stern Punkt betrifft, so seh ich am Ballgehn an und
für sich nichts sündliches: es ist eine Ergötzung,
und nach der neuen Theologie, die aber im Grund
auch die älteste und natürlichste ist, ist jede Ergötzung
auch eine Art von Gottesdienst. –

H u m b r e c h t. Vetter! Vetter! gebt Acht, daß man
euch Schwarzkittel nicht all zum Teufel jagt, wenn
dieser neue Gottesdienst erst eingeführt wird!

M a g i s t e r. Ich sagte ja nur, Ergötzung wäre eine *Art*
von Gottesdienst: dies schließt aber die andern Arten
alle noch nicht aus, und folglich sind wir Lehrer auch
noch nicht überflüßig. Doch – diesen Beweißgrund,
den ich ihnen bey einer andern Gelegenheit besser er-
klären, deutlicher exegesiren will, beyseite gesetzt, –
will ich mit ihrer [28] Erlaubniß, Herr Vetter, sokra-
tisch demonstriren, und nur zwo Fragen an sie thun;
– erstens, glauben sie denn, daß so viele rechtschaffene
Mütter, brave Weiber, die so gar Personen vom Stande
sind, theils selbst auf den Ball gehn, theils ihre Töchter darauf führen würden, wenn sie sich ein Gewissen
darüber machen müßten?

Fr. H u m b r e c h t. So recht! Herr Vetter Magister;
das wars!

H u m b r e c h t. Die mögen meintwegen auch ein Gewissen haben, das größer ist als die Metzger-Au draus-
sen! – Was scheeren mich die mit samt ihrem Stand?
– ich hab auch einen Stand, und jeder bleib bey dem
Seinigen! – Und dann, so hab ich ja noch nicht gesagt,

daß das Ballgehn überhaupt nichts taugte; – meine
Leut aber sollten nicht drauf gehn, das sagt ich! – Laßt
die immerhin drauf herumtänzeln, die drauf gehören,
wer wehrts ihnen? – für die vornehmen Herren und
Damen, Junker und Fräuleins, die vor lauter Vorneh- 5
migkeit nicht wissen, wo sie mit des lieben Herrgotts
seiner Zeit hinsollen, für die mag es ein ganz artigs
Vergnügen seyn; wer hat was darwider? – aber Hand-
werksweiber, Bürgerstöchter sollen die Nas davon lassen; die können auf Hochzeiten, Meisterstückschmäu- 10
sen, und was des Zeugs mehr ist, Schuh genug zer-
schleifen, brauchen nicht noch ihre Ehr und guten
Namen mit aufs Spiel zu setzen. – – Wenn denn vollends ein zuckersüßes Bürschchen in der Uniform, oder
ein [29] Bärönchen, des sich Gott erbarm! ein Mädchen 15
vom Mittelstand an solche Örter hinführt, so ist zehn
gegen eins zu verwetten, daß er sie nicht wieder nach
Haus bringt, wie er sie abgehohlt hat.

Fr. Humbrecht. Ey Mann! bist du närrisch? – du
wirst doch etwa nicht gar glauben, daß unsre Toch- 20
ter –

Humbrecht *(ihr nachäffend.)* Du wirst doch etwa
nicht gar glauben – – über die Fratze! – ich glaub nur
was ich weiß – wenn ichs aber glaubte! – wenn! wenn!
– *(mit geballten Fäusten)* Himmel, wie wollt ich mit 25
euch umspringen! –

Magister. Nicht doch, Herr Vetter! sie werden ja,
hoff ich, nicht in Harnisch gerathen über eine Handlung, die an sich so gleichgültig ist, die vollkommen
unter diejenigen gehört, die nach der strengsten Ka- 30
suistick weder für gut noch für bös können gehalten
werden.

Humbrecht. Gibts viel solcher Handlungen in seinem Katechismus?

Magister. Verschiedene! und daß das Ballgehn mit 35
dazu zu rechnen sey, bin ich so sehr überzeugt, daß ich
ihnen – doch unter uns – gestehn will, ich bin selbst
einmal drauf gewischt.

Humbrecht *(mit Hitze aufspringend.)* So wird *davor* alle Jahr zweymal für euer Kloster an den Kirch- 40

thüren kollektirt! – *(im Fortgehn)* Adieu Vetter! und
hohl mich der Teufel, wenn ich noch einen Sols in die
Schüssel werfe. Adieu! *(ab.)*

[30] F r. H u m b r e c h t. Das hat er nun eben nicht ge-
scheut gemacht, Herr Vetter! ich förcht, er hat es jetzt
wieder auf lange Zeit bey meinem Mann verdorben.

M a g i s t e r. Solls wohl sein Ernst seyn?

F r. H u m b r e c h t. Freilich ist ers; er ist noch ganz
von der alten Welt; er kann sichs nicht vorstellen, wie
ich mein Kreuz mit ihm hab! – Vor zwey Jahren zu
Anfang des Winters hätten wir uns bey einem Haar
von Tisch und Bett, Gott verzeih mirs! geschieden,
weil ich mein mardern Palatin, daß er von seiner
Grosmutter geerbt hatte, gegen ein neumodischers ver-
tauschte; und noch erst vor acht Tagen sollte mein
Evchen ein Kind heben, da bestand er mit Leib und
Seel darauf, sie müßte die goldne Haube aufsetzen,
und doch sieht man sie keinem Menschen mehr auf
haben als höchstens Gärtners und Leinwebers Töchtern. – – Nein! das hätt er pfeifen sollen, Herr Vetter
Magister! aber nicht sagen.

M a g i s t e r. Sobald ich mir keinen Vorwurf mache etwas gethan zu haben, so kann ichs auch sagen. Freilich
mit Unterschied! meinen Vorgesetzten, zum Beyspiel,
die um den Misbrauch zu verhindern, manche Dinge
ganz verbieten müssen, das sie nicht thun würden,
wenn jener nicht zu befürchten wäre, so etwas auf die
Nase zu hängen, verbietet die Klugheit; sonst aber
mach ich so wenig ein Geheimniß daraus, daß ichs vielmehr für Pflicht halte alles zu sehn, alles zu prüfen
um selbst [31] davon urtheilen zu können. *(Der Lieutenant von Gröningseck kommt hastig herein, lauft
auf Frau Humbrecht los; Magister steht auf.)*

v. G r ö n i n g s e c k. So ganz tête á tête! das ist schön,
das will ich dem Herrn Liebsten sagen, Frau Wirthinn,
wenn sie mir nicht gleich den Mund stopfen.

F r. H u m b r e c h t. Hi hi, hi hi hi! das thun sie, mein
Mann weiß es schon, er ist erst fortgegangen.

---

13 *mardern Palatin:* Halstuch oder Kragen aus Marderfell.

v. G r ö n i n g s e c k. So! *(singt.)* der gute Mann, der
brave Mann! – können sie das Liedchen? nicht? – das
muß ich sie lehren. – Den Herrn soll ich schon mehr
gesehn haben.

F r. H u m b r e c h t. Es ist mein Herr Vetter: er instru-   5
wirt mein Evchen auf dem Klavier.

v. G r ö n i n g s e c k *(nimmt nachläßig eine Prise To-
back.)* So, so! der Herr Vetter Klaviermeister also! –

M a g i s t e r. Ihr gehorsamer Diener! *(der Lieutenant
nimmt den Stuhl des Magisters und setzt sich hart* 10
*neben die Frau Humbrechtin: dieser hohlt sich einen
andern Stuhl, und setzt sich auf die andre Seite.)* – Mit
ihrer Erlaubniß, Frau Baas!

v. G r ö n i n g s e c k. Ohne Komplimenten! – pardieu!
ich glaub gar das war ihr Stuhl, – verzeihn sie, Herr   15
Klaviermeister! –

M a g i s t e r. Ich binns nur für Freunde, denen ich
einen Gefallen damit erweisen kann, und verbitte mir
also –

[32] v. G r ö n i n g s e c k. Gar gern! gar gern! – es ge-   20
schah nicht mit Vorsatz, Herr Abbe! –

F r. H u m b r e c h t. Ja, wenn sie wüßten, Herr Leutenant, was ich mit meinem Mann vor eine Hatze gehabt
habe! wegen dem gestrigen Ballgehn – o das können
sie sich gar nicht denken!   25

v. G r ö n i n g s e c k. Comment? wegen dem Ballgehn!
c'est drole! – das ist auf meine Ehr toll genug!

F r. H u m b r e c h t. Und denken sie nur: da kam der
Herr Vetter eben dazu, und da glaubt ich, er sollte mir
helfen ihm den Kopf wieder zurecht setzen, aber da   30
ist er grad noch rappelköpfischer geworden.

v. G r ö n i n g s e c k. Das bedaur ich! – es geht aber den
Herren Schwarzröcken sehr oft so.

F r. H u m b r e c h t. Es wär alles gut gewesen, sehn sie;
er hat ihm tüchtig die Wahrheit gesagt; aber da ver-   35
schnappt er sich in der Hitze, und plazte heraus, er
wär selbst schon drauf gewesen, und da wollt mein

23 *Hatze:* Hetzjagd.
31 *rappelköpfisch:* Aufgebracht; ungestüm.

Mann nichts mehr hören noch wissen. – Sehn sie, das
hats verdorben – das ganz allein!

v. G r ö n i n g s e c k. Ho ho! der Herr Abbe selbst schon
auf dem Ball gewesen! – das hätt ich warlich nicht hin-
5 ter ihnen gesucht: gewiß nicht!

M a g i s t e r. Und weswegen nicht, mein Herr?

v. G r ö n i n g s e c k. Hm! des Rocks wegen.

M a g i s t e r. Wahrhaftig! dies Vorurtheil kleidet sie,
da sie sich sonst so einen großen Ton zu [33] geben
10 wissen, sehr schlecht: wären sie tiefer in Frankreich,
oder auch an den geistlichen Höfen Teutschlands gewesen, so würden sie wissen, daß Prälaten vom ersten
Rang ihrem Anspruch, den sie auf alle menschliche erlaubte Vergnügungen zu machen berechtigt sind, kei-
15 neswegs entsagen. – Würde man bey unsrer Kirch anfangen eben so klug zu denken und zu handeln, so
würde es weniger übertriebene Zeloten, und eben dadurch auch weniger Religionsspötter geben.

F r. H u m b r e c h t. Ey, ey! Herr Vetter!

20 v. G r ö n i n g s e c k. Der Teufel, war das eine Predigt!
– Ma foi, die erste Hofmeisterstelle, die ich zu vergeben habe, sollen sie bekommen.

M a g i s t e r. Ich zweifle. – *Der* Vater wenigstens, der
mir, wenn ich eine Viertelstunde erst mit ihm gespro-
25 chen, dennoch seinen Sohn anvertrauen wollte, ist
schwerlich schon gebohren.

v. G r ö n i n g s e c k. Wie so! bald machen sie mich aufmerksam.

M a g i s t e r. Sie wollen spotten, mein Herr!

30 v. G r ö n i n g s e c k. Parole d'honneur! nein! – ich wiederhohl es, sie haben mich neugierig gemacht ihre Ursachen anzuhören.

M a g i s t e r. Die alle hier gleich anzuführen, ist mir
unmöglich. Überhaupt aber würden meine Erziehungs-
35 Grundsätze wohl schwerlich heut zu Tag wo Beyfall
finden.

F r. H u m b r e c h t. Ey Herr Vetter Magister! er wird
doch nicht so altväterisch denken, wie mein Mann?

[34] M a g i s t e r. Im Gegentheil! – zu neu, als daß ich
40 nicht darüber sollte verfolgt werden.

v. G r ö n i n g s e c k. *Ein* Pröbchen nur, Herr Magister!
nur ein einiges! ich höre so was gar zu gern; ich glaube,
man nennt es Paradoxe, nicht wahr?

M a g i s t e r. So würd ich zum Exempel in dem kritischen Zeitpunkt, in welchem der Knabe zum Jüngling 5
übergeht, sich selbst zu fühlen und der *physischen* Ursache seines Daseyns nachzuspüren beginnt – ein Zeitpunkt, der der Tugend fast aller junger Leute ein Stein
des Anstoßes, eine gefährliche Klippe ist. – –

F r. H u m b r e c h t *(steht auf.)* Das ist mir viel zu 10
hoch, meine Herren; ich will einmal meine Tochter
herausstöbern. *(lauft ab.)*

M a g i s t e r. So würd ich, wollt ich sagen, in diesen
Jahren meinen Eleven auf eine Manier behandeln, die
der gewöhnlichen grad entgegen gesetzt ist. – Statt ihn 15
in seiner Unwissenheit auf gut Glück einem bloßen
Ungefähr – das unter zwanzigen gewiß neunzehn irre
führt – zu überlassen; würde ich ihm den ganzen Adel,
die ganze Größe seiner Bestimmung begreiflich zu machen bedacht seyn. – 20

v. G r ö n i n g s e c k. Das haben schon mehrere vorge-
schlagen!

M a g i s t e r. Noch mehr! – ihm auf Zeitlebens vor allen Vergehungen dieser Art einen schaudernden Ekel
beyzubringen, würde ich – wie die Spar-[35]taner ihre 25
junge Leute vor dem Laster der Trunkenheit zu warnen, ihnen ein paar trunkne Sklaven zum Gespötte
Preis gaben – so würde ich meinen Eleven selbst an die
zügellosesten und ausgelaßensten Örter begleiten: das
freche, eigennützige niederträchtige Betragen solcher 30
feilen Buhldirnen müßte auf sein zartes noch unver-
dorbenes Herz ganz gewiß einen unauslöschlichen Ein-
druck machen, den keine Verführung jemals auslöschen
könnte.

v. G r ö n i n g s e c k. Sie können vielleicht Recht haben: 35
– bey alle dem aber scheint mir die Kur verdammt
scharf.

M a g i s t e r. Um so viel sicherer ist sie auch. – – Alle
andre Präservativmittel kann *ein* Glas Wein, *ein* aus-
schweifender Freund, *ein* unglücklicher Augenblick 40

über einen Haufen werfen. – Und ganz sicher zu gehn,
hab ich noch ein andres Recept im Hinterhalt.

v. G r ö n i n g s e c k. Nemlich?

M a g i s t e r. Das erste beste Lazareth oder Siechhaus. –
5 Den jungen Herrn, wenn er obige Scene gehörig ver-
daut, und selbst darüber nachgedacht hat, in diesen
Wohnplatz des Jammers geführt, ihm die erbärm-
lichen scheuslichen Folgen eines einzigen Fehltritts,
einer einzigen Ausschweifung dieser Art *anschauend*
10 vor Augen gestellt: – wen das nicht in Schranken zu-
rückhält, der muß weder Kopf noch Herz haben.

v. G r ö n i n g s e c k. Sie werden warm, Herr Magister:
und das gefällt mir: – ich haß alles, [36] was Pflegma
heißt; – verzeihen sie, wenn mein erstes Betragen vor-
15 hin ihren Verdiensten nicht angemessen war: – Wir
müssen uns mehr sprechen; schlagen sie ein! *(Magister
gibt ihm treuherzig die Hand, indem kommen Frau
Humbrecht und Evchen.)*

F r. H u m b r e c h t. Ey guck doch! – wie artig! schon
20 so bekannt?

v. G r ö n i n g s e c k. Jetzt kenn ich ihren Herr Vetter:
vorher nahm mich das Kleid wider ihn ein. – Guten
Morgen Mademoiselle Evchen!

M a g i s t e r. Schon ausgeschlafen Bäschen? *(Evchen*
25 *schlägt erröthend die Augen nieder, verneigt sich und*
setzt sich hin zu arbeiten.) – So rothe Augen! haben
sie geweint?

F r. H u m b r e c h t. Nicht doch! – er weiß ja wohl
Herr Vetter, wer selten reitet, dem – – sie ist halt das
30 Aufbleiben nicht gewohnt und das ist alles.

v. G r ö n i n g s e c k. Es sollte mir wahrhaftig sehr leid
thun, wenn ich – wenn der Ball –

E v c h e n *(unterbricht ihn.)* Sie sind sehr gütig Herr
Lieutenant.

35 F r. H u m b r e c h t. So sey doch nicht so mürrisch! ich
weiß gar nicht wie sie mir heut vorkommt; wenn ich

---

4 *Lazareth:* Siechenhaus für Ansteckungskrankheiten.

29 *wer selten reitet, dem:* »– thut der Ars bald weh«. (Karl Friedrich Wilhelm Wander, Deutsches Sprichwörter-Lexikon, Leipzig 1873,
Bd. III, Sp. 1651, Nr. 44.)

nicht immer um sie gewesen wäre, wenn ich nicht
wüßte, daß sie alles Liebs und Guts genossen hat, so
sollt ich Wunder denken, was ihr vor ein Unglück
widerfahren ist.

v. G r ö n i n g s e c k. Wenn ich etwas zu ihrer Beruhi-   5
gung – Zerstreuung wollt ich sagen! bey-[37]tragen
kann, Mademoiselle! – so solls mir eine Freude seyn.

E v c h e n *(mit gezwungenem Lächeln.)* Ich wills erwarten Herr Lieutenant, ob sie Wort halten.

v. G r ö n i n g s e c k. Ganz gewiß! *(sieht auf die Uhr.)*   10
– Pardieu! kaum noch Zeit auf die Parade zu sprin-
gen!

M a g i s t e r. Ich begleite sie: – für heute scheint mir die
Jungfer Baas doch nicht zur Musik gestimmt.

E v c h e n. Nein, heute nicht! – ich hab Kopfweh. *(Lieu-*   15
tenant und Magister ab.)

F r. H u m b r e c h t. Ey Mädel! Mädel! ich bitt dich
um Gottswillen, häng mir den Kopf nicht so – wenn
dein Vater wiederkommt – du weist wie er ist – und
sieht dich so niedergeschlagen, so geht der Tanz wie-   20
der von vornen an.

E v c h e n. Sie hat gut reden Mutter! – *(mit einem tie-*
fen Seufzer) – wär sie nicht eingeschlafen! – so –

F r. H u m b r e c h t. Fort! – was so?

E v c h e n. So wär sie vielleicht nicht muntrer als ich,   25
oder ich so munter als sie.

F r. H u m b r e c h t. Kindskopf! das Bischen Schlaf
wirds ihm wohl thun! – Du sagtest ja selbst, ich hätte
nicht lang geschlafen? –

E v c h e n. Nein, nicht lang: und doch länger als –   30

F r. H u m b r e c h t. Bald werd ich wild: – soll [38] ich
dir jedes Wort aus dem Hals heraushaspeln? – *(ihr*
nachspottend) nein, nicht lang; und doch länger als –
was denn als – –

E v c h e n. Ey nun, als ich! ists etwa nicht wahr?   35

F r. H u m b r e c h t. Dachte Wunder, was herauskom-
men würde! – Schau, Evchen! thus deiner Mutter zu
gefallen, und mach kein finster Gesicht so: dein Vater
hat sich so schon merken lassen, daß er glaubt, ich wär
mehr meintwegen als deintwegen auf den Ball gegan-   40

gen; findet er dich nun vollends so niedergeschlagen,
so muß ich gewiß alles allein fressen. Nicht wahr Evchen, du thust mirs zu lieb? wenns dir auch nicht drum
ist.

5 E v c h e n. Ich will thun, was ich kann.

F r. H u m b r e c h t. Potztausend noch eins! – weist du
nicht, wo meine Tobacksbüchs hingekommen ist?

E v c h e n. Nein! – die silberne mit vergoldeten Reifen?

F r. H u m b r e c h t. Die nemliche; – dein Vater gab

10 mir sie noch in unserm Brautstand: – ich nähm nicht
weiß was –

E v c h e n. Den Morgen hatte sie sie noch in der Hand,
das sah ich.

F r. H u m b r e c h t. Ach Gott! – wenn ich sie verlohren

15 hätte! – den Augenblick will ich gehn und noch einmal alles durchsuchen: find ich sie nicht, so laß ich sie
gleich nach dem Essen ausrufen. – *(lauft ab.)*

[39] E v c h e n. Arme Mutter! jammert um eine Dose! –
Wenn dies der gröste Verlust wäre! – – Fataler Augen-

20 blick! unglücklicher Ball! – Wie tief bin ich gefallen! –
Mir selbst zur Last! – Die Zöpf hätt ich mir beym
Aufbinden herabreißen mögen, wenn ich mich nicht
vor der Magd geschämt hätte. – Dürft ich nur nieman-
den ansehn, säh mir nur kein Mensch in die Augen!

25 – – Wenn die Hofnung nicht wär – die einige Hofnung! – er schwur mirs zwey, dreymal! – Sey ruhig
mein Herz! – – *(erschrocken)* Gott! ich hör meinen
Vater; – jedes Wort von ihm wird mir ein Dolchstich
seyn! – Wie er lärmt! Himmel! sollt er meinen Fehl-

30 tritt schon entdeckt haben? *(kehrt das Gesicht ängstlich
von der Thüre weg, und verbirgts mit den Händen.)*

H u m b r e c h t *(zu seiner Frau, die mit ihm herein-
kommt.)* Das Lumpengezeug! der verdammte Nickel!
– Den Augenblick soll sie mir aus dem Haus: hasts

35 gehört, Frau? den Augenblick! sag ich. Keinen Bissen
kann ich in Ruhe fressen, so lang die Gurr noch unter
einem Dach mit mir ist: – Wirsts ihr bald ankündigen

---

33 *Nickel:* Hure.
36 *Gurr:* Altes, untaugliches Pferd. – Schimpfwort für »Hure«.

oder nicht? wenn ichs ihr selbst sagen muß, so steh ich
nicht dafür, daß ich sie nicht mit dem Kopf zuerst die
Treppe hinunterschmeiß.

E v c h e n. Gott! das gilt mir!

F r. H u m b r e c h t. So sag mir doch erst – ich muß ihr   5
doch auch eine Ursache sagen können – du hast ja doch
die ganze Zeit über nichts über sie zu klagen gehabt.

[40] H u m b r e c h t. Ursache? Die soll *ich* dir sagen? –
Schäm dich ins Herz hinein so eine schlechte Haus-
mutter zu seyn, nicht bessere Ordnung zu halten! –   10
weil sie ein Nickel ist, eine Hure! das ist die Ursache. –

E v c h e n *(aufspringend.)* Länger halt ichs nicht aus!
*(ihrem Vater, der sie noch nicht gesehn plötzlich zu
Füßen fallend.)* Vater! liebster Vater! Vergebung –
(verstummt und läßt den Kopf zur Erde sinken.)   15

F r. H u m b r e c h t *(ihr nach dem Arm greifend)* Ey
Mädel! was ist dir? – träumst? – Steh doch auf! – Ich
glaube gar, sie meynt, du wärst so böse auf *sie* –

H u m b r e c h t. Der Narr – hat sie mich nicht er-
schreckt! – vor mir da niederzufallen wie ein Sack: 20
– steh auf! steh auf! – *(hilft ihr in die Höh.)* – Die
Grimassen kann ich nicht leiden, dies weißt du: – Ich
hatte mir zwar freilich vorgenommen dich tüchtig aus-
zufilzen, aber – es ist grad, als wenn ich kein Quent-
chen Gall mehr im Leib hätte – der Schrecken hat,   25
glaub ich, alles verwischt. – Nu –! dankst mir nicht
einmal für meine Nachsicht? – Diesmal sollst noch so
durchschlupfen; – Wenns aber noch *einmal* geschieht,
Blitz und Donner! nur noch *einmal,* so tret ich dir alle
Ribben im Leib entzwey, daß dir der Lusten zum   30
drittenmal vergehen soll.

E v c h e n. Ich schwörs ihm, Vater! hätt ichs noch zu
thun, ich thäts gewiß nicht.

H u m b r e c h t. Nicht? thätsts nicht? – *so* ge-[41]fällst
du mir Evchen! Das war brav: es reut dich also? –   35
komm her, daß ich dich küße dafür – Was! du wirst
roth, wenn dich dein Vater küßt! – solltst du wohl
schon so verdorben – doch, ich vergaß, daß die Mamsell auf dem Ball war; – in Zukunft bleib hübsch zu
Haus; der Ball wird doch Ball bleiben, ohne dich –   40

E v c h e n. Mamsell!

Fr. H u m b r e c h t. So geh doch auch nicht so gar un-
barmherzig mit ihr um – sieh, wie sie zittert –

H u m b r e c h t *(Evchen bey der Hand fassend.)* Fiel
5 dir das Wort auf, meine Tochter? das freut mich! –
man muß nie mehr seyn wollen, als man ist. – Ja so
Frau! das nöthigst hätten wir bald verplaudert: daß
du es denn nur weißt, wenn ichs dir doch erst sagen
muß – die schöne Jungfer dahinten hat sich von einem
10 Serjeanten eins anmessen lassen, die Mutter weiß drum
und läßt alles so hingehen: die ganze Nachbarschaft
hält sich drüber auf. – Jetzt marsch! und kündig ihnen
das Logis auf: du weißt jetzt, warum? – Wollte eher
den ganzen Hinterbau Zeitlebens leer stehn lassen,
15 Ratten, Mäusen und Nachteulen Preiß geben, eh ich
solch Lumpengesindel beherbergen wollt. – Meine eigne
Tochter litt ich keine Stund mehr im Haus, wenn sie
sich so weit vergieng. – *(Fr. Humbrecht geht ab, er
ruft ihr nach)* Noch *vor* Sonnenuntergang sollen sie
20 aufpacken, [42] sonst schmeiß ich alles zum Fenster
hinaus, und sie beyde, alt und jung hinter drein! –
(gelaßen zur Tochter.) Du, laß den Tisch zurecht
machen. *(ab.)*

E v c h e n. Seine eigne Tochter! – – in den paar Wor-
25 ten liegt mein ganzes Verdammungsurtheil! – Welch
ein Schatz ist doch ein gutes Gewissen! – *(sich im Abgehn vor die Brust schlagend.)* – Das* verlohren – alles
verlohren! – *(ab.)*

[43]   Dritter Akt.

30 *(Zimmer des Lieutenant von Gröningseck in Humbrechts
Haus; daneben ein Kabinet: Lieutenant v. H a s e n -
p o t h steht vor dem Spiegel und pfeift; v. G r ö -
n i n g s e c k sitzt gedankenvoll in einem Lehnstuhl.)*

v. H a s e n p o t h *(geht vom Spiegel weg.)* So schick
35 doch alle die Grillen zum Henker, Gröningseck!

Komm, das Wetter ist schön, laß ein Kapriolet hohlen,
wir wollen an Wasserzoll fahren.

v. G r ö n i n g s e c k. Fahr allein! ich bin am liebsten zu
Haus.

v. H a s e n p o t h. Immer und ewig zu Haus! – wie   5
kannst dus nur ausdauren? – Den ganzen Sommer ist
er noch vor kein Thor gekommen, wenn er nicht mit
der Kompagnie gemußt hat. – So möcht ich auch leben,
wie ein Kartheuser! wahrhaftig! – zehnmal lieber eine
Kugel vor den Kopf!   10

v. G r ö n i n g s e c k. Jeder nach seinem Geschmack.

v. H a s e n p o t h. Gut! aber das Kopfhängen war doch
sonst deine Gewohnheit nicht: – erst seit vier, fünf
Monaten, seit dem letzten Karneval – gelt! ich hab
Acht auf dich gegeben? fiengst du dies Kapuziner-   15
Leben an. – Und warum? nur das möcht ich wissen –
wenn ich nur [44] *eine* Ursache säh! Bist du verliebt?
Hast du das Heimweh?

v. G r ö n i n g s e c k. Das Heimweh! rappelt dirs?

v. H a s e n p o t h. Eins von beyden! – ists das nicht, so   20
muß es das erste seyn. – Und dennoch – wenn ichs
beym Lichten beseh – ists auch wieder nicht möglich
– ich wüßte nicht, in wen? – In der ganzen lieben
langen Zeit, glaub ich, hat er nicht drey Frauenzimmer gesprochen. Alle vier Wochen einmal macht   25
er Schandehalben dem Marschall seine Aufwartung,
und *da* steht er, so bald er seinen Kratzfuß gemacht
hat, von Ferne wie der Nikodemus. – Anderwärts
ist er gar nicht hinzubringen. – Wüßt ich nicht ganz
gewiß, daß du die Humbrechtin gehabt hast, so dächt   30
ich –

v. G r ö n i n g s e c k *(aufspringend.)* Gehabt! ich? – wer
sagt das?

v. H a s e n p o t h. Sachte, mein lieber Gröningseck!
sachte! – Wir sprechen als Freunde und unter uns. –   35
Siehst mich doch nicht etwa für ein Kind an, das sich
weiß machen läßt, roth wäre grün?

---

28 *von Ferne wie der Nikodemus:* Der biblische Vergleich hinkt.
Ferne standen Petrus und der Zöllner, nicht Nikodemus.

v. G r ö n i n g s e c k. Hab ich dich nicht schon mehrmalen des Gegentheils versichert?

v. H a s e n p o t h *(lacht.)* Ein schöner Beweiß! – Toll
genug, daß du mir, der ich doch die ganze Belagerung
5 aus meinem Kabinet dirigirt [45] habe, nicht einmal
die Lieb anthun, und deine Eroberung gestehn willst! –

v. G r ö n i n g s e c k. Ich hab nichts zu gestehen!

v. H a s e n p o t h. Dein Eifer zeugt für das Gegentheil;
und zudem – rein von der Leber wegzusprechen – wie
10 kannst du mir zumuthen sie für eine Vestalin zu halten? gegen zwey Uhr schlicht ihr euch vom Ball, und
nach fünf erst hört ich die Kutsche hier anfahren.

v. G r ö n i n g s e c k *(sehr ernsthaft.)* Von was anders:
ich bitte!

15 v. H a s e n p o t h. Und das Schlafpülverchen, das ich
dir zustellte! – wenn du keinen Gebrauch davon gemacht, warum kann ichs denn bis diese Stunde nicht
wieder kriegen?

v. G r ö n i n g s e c k. Weil – weil ichs – verlegt – ver-
20 lohren – zum Teufel geschmissen hab. – Kurz, Herr
von Hasenpoth, kein Wort mehr, wenn wir Freunde
bleiben sollen.

v. H a s e n p o t h. Ich glaube, du wärst wohl gar im
Stand, eine Lanze für sie zu brechen, den Don Qui-
25 schott für sie zu spielen?

v. G r ö n i n g s e c k. Möglich, mein Herr!

v. H a s e n p o t h. Doch mit mir nicht? deinem Landes-
mann? deinem compagnon de debauche? – – Hör mich
an, Herr Bruder! ich hoffe doch nicht, daß du die
30 Narrheit so weit getrieben, und dich würklich in das
Mädchen verliebt hast; das wär ja, soll mich der Teufel zerreißen! wider allen esprit de corps. – Fast sollt
ichs denken, [46] das Getreibs, das du die Zeit her mit
dem Schwarzkittel, dem Vetter aus dem Haus, hast,
35 bestärkt mich darinn. – Ists aber? gut! so fehlts dir ja
nicht an Mitteln ihrer bald satt zu werden – du
wohnst ja unter einem Dache mit ihr – oder wenns

---

5 *Kabinet:* Geheimzimmer.

24 f. *Don Quischott:* Bildungsanspielung auf den Roman des Cer-
vantes, der in Bertuchs Übersetzung seit 1775 erschien.

hier nicht angeht, soll ich dir sonst wo Gelegenheit
verschaffen, ich bin sinnreich –

v. G r ö n i n g s e c k. Wie der Satan! – das weiß ich.

v. H a s e n p o t h. Wenigstens hast du schon Proben davon. *Du* wärst dein Lebtag nicht auf den Einfall mit   5
dem Pulver gerathen.

v. G r ö n i n g s e c k. Pulver und Pulver! das verfluchte
Pulver! wollt ich hätt es, dich, dies Haus, alles nie gesehn! wollt es wär mir in der Tasche zu Gift geworden, und ich wäre daran krepirt, so bald ichs nur an-   10
rührte!

v. H a s e n p o t h. Was zum Kuckuck ist das vor eine
Sprache! Kommt dich der Reuen an? – folglich hast du
doch –

v. G r ö n i n g s e c k. Ja, ja! Teufel! ich hab; – hab dei-   15
nen vermaledeyten Lehren gefolgt, aufs Haar gefolgt!
– hab – wenn dus denn doch wissen willst – einen
Engel entheiligt, mich mir selbst zum Scheusal gemacht.

v. H a s e n p o t h. Possen! Possen! Brüderchen! Kin-
derpossen! Pfaffengeschwätz! – Du hast deine Absicht   20
erreicht, – nun gut! deß solltst du ja froh seyn. –

[47] v. G r ö n i n g s e c k. Wenns eins von den Alltags-
geschöpfen wäre, die, wenn wir sie nicht zu unserm
Spielwerk brauchten, zu gar nichts nütze sind, ja! –
Aber *das* ist sie nicht: du hättest sie sehn, hören sollen;   25
in *dem* Augenblick, dem kritischen Augenblick, der un-
mittelbar auf den Genuß folgt, in dem uns die gröste
Schönheit aneckelt – da hättst du sie sehn sollen: – wie
groß in ihrer Schwäche! – wie ganz Tugend, auch
nachdem *ich* sie mit dem Laster bekannt gemacht hatte!   30
– und ich, wie klein! wie – o! ich mag gar nicht zurückdenken –

v. H a s e n p o t h. Können dich Grimaßen so weichherzig machen? – Du armer Tropf! –

v. G r ö n i n g s e c k. Grimaßen? – meynst, ich kann   35
Grimaßen nicht von Wahrheit unterscheiden? – Bey
den übertünchten Todtengräbern, den geschminkten,
gefirnißten Puppen, die einen hier, wo man nur hin-

---

13 *der Reuen:* Obd. Form für die Reue.

sieht, anstinken, da such Grimaßen, – aber nicht bey
der simpeln Natur. –

v. Hasenpoth. Simpel oder nicht simpel! – ein
Weibsbild ist halt ein Weibsbild! und die unerfahren-
ste gibt uns immer, was *den* Punkt anbetrifft, noch
aufzurathen. – Ich hab wenig Frauenzimmer angetrof-
fen, die nicht sehnlichst wünschten bestürmt zu werden,
und noch die erste zu sehn, die nicht nach der Nieder-
lage ein paar Krokodilsthränen geweint hätte. – Das
ist schon in der Art so!

v. Gröningseck *(mit verbißner Wuth.)* Ausbund
[48] aller Libertins! – Danks meinem bösen Gewissen,
daß ich dir so gedultig zuhöre – *das* macht mich zur
Memme, zum Poltron – und doch steh ich nicht dafür,
daß ichs noch lang bleib: – bin ich nicht mehr ruhig
genug aus Überlegung *herzhaft* zu seyn, so kann mich
die Wuth tollkühn machen – verstehn sie mich? –

v. Hasenpoth. Besser wenigstens, als du mich – dafür steh ich! – ich sprach ja nur von den Frauenzimmern, die *ich* –

v. Gröningseck. Ha! von den leichten, deren funfzig auf der subtilsten Gewissenswaage kaum *ein* Loth
aufwiegen! – Sie müssen aber wissen Herr Lieutenant –

v. Hasenpoth. Sprechen wir ernsthaft, so kann das
Sie wegbleiben: – es klingt mir so sonderbar. –

v. Gröningseck. Seys! – aber merk dirs Hasenpoth! – zum letztenmal *Du*, wenn du meine Erwar-
tung täuschest. – Einem vernünftigen Frauenzimmer
kan, und soll zwar wenig daran gelegen seyn, ob du
und deinesgleichen *so* oder anders von ihr denken;
Euer Lob ist Brandmark und in Eurem Tadel ruht
innre Selbstgröße – – aber *mir* liegt daran, daß du das
Mädchen, dessen Namen du vorhin über deine unge-
waschne Lippen gehn ließest – kein Wort! hör mich
erst an – daß du es nicht länger verkennst: wiß also –

v. Hasenpoth. Es kommt wer!

v. Gröningseck *(sich umsehend.)* Der Magister!

---

14 *Poltron:* Feigling; Maulheld.
31 *Brandmark:* Schon Adelung betont die Seltenheit des Substantivs.

[49] ich kenn ihn am Gang. – Daß du dich ja nichts
verlauten läßest! – noch weiß Er, kein Mensch was
darum. – *(Magister kommt herein)* Bravo! Herr Magister, das ist brav! sie gehn mich doch nicht vorbey,
wenn sie ihre Verwandten besuchen.   5

M a g i s t e r. Gewiß nicht, das wissen sie schon. Wenn
ich sie ein paar Tage nicht gesehn habe, so meyn ich,
es fehlt mir was.

v. G r ö n i n g s e c k *(drückt ihm die Hand.)* Ich lieb
sie darum. Wie stehts unten?   10

M a g i s t e r. Das fragen sie *mich*, und wohnen im
Hauß?

v. H a s e n p o t h. Das war recht! – Sich nach seinen
eignen Hausleuten bey Fremden zu erkundigen, das
geht in Paris oder London schon an – aber hier! – 15
Wenn der Herr Lieutenant keine Nachteule so wäre,
und nicht alle Lebensart beyseit setzte, so guckte er
selbst nach – und –

v. G r ö n i n g s e c k. Und! – wenn ich nun meine Ursachen habe? – Ja, Magister! *sie* frag ich, weil sie als 20
Vetter schon eher einen vertrauten Zutritt haben. – So
gut mein Hauswirth im Grund auch seyn mag, so tau-
gen wir doch nicht für einander: – *Er* hat seine be-
sondre Grillen, das wissen sie selbst; und *ich* bin auch
hitzig vor der Stirn: – das möcht in die Länge nicht 25
gut thun.

M a g i s t e r. So warten sie die Zeit ab, da er nicht zu
Haus ist; – meine Baasen –

v. G r ö n i n g s e c k. Sind mir werth und lieb, [50]
Herr Magister! Evchen besonders, aber eben deswegen 30
mag ichs ihnen nicht zum Tort thun: – ich kann seit
dem Karneval etwa vier, fünfmal drunten gewesen
seyn, zum Unglück war *Er* ein paarmal nicht da – puh!
gab das ein Feuer!

M a g i s t e r *(lacht)* Ganz gewiß kann ers ihnen noch 35
nicht verzeihen, daß sie ihm seine Damen auf den Ball
verführt haben. So wie er mir –

v. G r ö n i n g s e c k. Haben sie ihr Bäschen gesehen?

M a g i s t e r. Schon vierzehn ganzer Tage nicht, glaub
ich. Beständig sitzt sie in ihrem Zimmer, die Melan- 40

cholie frißt sie noch auf; ich kann gar nicht klug aus
ihr werden; Bitten und Beten, alles ist bey ihr umsonst! – *das* macht ihren Vater eben noch undult-
samer! –

5 v. G r ö n i n g s e c k. Gerechter Gott! – ich! – ich! –

M a g i s t e r. Nehm Antheil daran, wollen sie sagen? –
ich bins von ihrem gefühlvollen Herzen überzeugt.

v. G r ö n i n g s e c k. Das wars, Herr Magister! ja! – sie
nahmen mirs aus dem Mund weg: – Gefühlvoll! ja!
10 das ist mein Herz, – *so* voll! –

v. H a s e n p o t h *(der die Zeit über gepfiffen, zum
v. Gröningseck von der Seite.)* Daß du dich gleich
selbst verschnappen wirst. – *(zum Magister)* Hat sie
den Anfall schon lang?

15 M a g i s t e r. So genau läßt sich die Zeit nicht bestim-
men; – er kam nach Graden, wird aber [51] leider täglich ärger. Youngs Nachtgedanken in der französischen Übersetzung, sind jetzt ihr Lieblingsbuch.

v. H a s e n p o t h. Da sey ihr Gott gnädig! – Wenn ich
20 ein einiges Blatt drinn lesen müßte, so wär ich kapable
den Engländer zu machen, und mich an mein Knieband zu hängen.

v. G r ö n i n g s e c k *(spöttisch.)* Du! – aber, lieber Magister! so viel schönes auch Young für eine heitre,
25 ruhige, mit sich und allem was rund um sie her ath-
met zufriedne Seele haben mag, so wenig – das fühlen
sie besser als ich – schickt sich doch diese Lektür für
ein misvergnügtes, abgespantes, erschlaftes Herz, ohne
welches keine Melancholie statt haben kann: – sollten
30 *sie* denn nicht als Freund –

M a g i s t e r. Es ihr wegnehmen? – Ich thats schon, weil
ich hierinn grad wie sie denke: sie winselte uns aber
so lange die Ohren voll, wollte vor Gram und Lan-
gerweile den Geist aufgeben – kurz ich war froh, und
35 legte es wieder hin.

v. G r ö n i n g s e c k. Gott! Gott! – ist denn kein Weg!
– sie dauert mich von Grund der Seelen, das gute

---

17 *Youngs Nachtgedanken:* Frz. Übersetzung von Le Tourneur,
Paris 1770 u. ö.

21 f. *Knieband:* Band, die Strümpfe unter dem Knie festzubinden.

Kind! – wie, wenn? – ja! was wirds nutzen? – auf die
Zeit kommt das meiste an. – Doch – es wär zu probiren! – wenigstens ists eine Höflichkeit, die ihr nicht
mißfallen kann, wenn sie auch weiter nichts hilft. – –
So bald sie sie wieder *allein* sehn, Magister, wollen   5
sie? – so sagen sie ihr von meintwegen, ich nähm sehr
viel An-[52]theil an ihrem Wohlseyn, hätte mich sehr
darnach erkundigt, – bey ihnen erkundigt, und
wünschte sie je eher je lieber wieder heiter und munter
zu wissen: – auf *mich* dürfte sie – *(stokt)* nun ja, es   10
sieht freilich einem leeren Kompliment gleich; es geht
aber warlich von Herzen – auf mich dürfte sie, wenn
ich jetzt oder mit der Zeit etwas zu ihren Diensten –
ja Diensten! thun könnte, vollkommen zählen: sagen
sie ihr das, wollen sie, lieber Magister? Wort für Wort!   15
lieber was mehr, als was weniger.

M a g i s t e r. Sehr gern Herr Lieutenant! – ich dank
ihnen für den Antheil: aber bald sollten sie mich –

v. H a s e n p o t h. Auf sonderbare Gedanken bringen?
– nicht doch Herr Magister! sie thäten ihm Unrecht: 20
sein Herz ist kälter als Eiß, und doch so weichherzig,
wenn er jemand leiden sieht, oder nur von ihm hört,
daß ich noch diese Stunde nicht weiß, wie er sich
konnte einkommen lassen, Soldat zu werden. – Ist
vollends von einem Frauenzimmer die Rede –   25

v. G r ö n i n g s e c k. Potz Geck und kein End! – Vergessen sies ja nicht, Magister! es ist doch Höflichkeits
wegen, wenns auch sonst nichts –

M a j o r   L i n d s t h a l *(kommt herein.)* Urlaub! Urlaub! Herr von Gröningseck! – ihr Urlaub ist einge-   30
loffen, hier bring ich ihn.

v. H a s e n p o t h. Urlaub! hast du um Urlaub ange-
halten?

[53] M a g i s t e r. Sie wollen uns also verlaßen?

v. G r ö n i n g s e c k. Doppeltwillkommen, Herr Major!   35
(zum Magister.) Nur auf kurze Zeit will ich nach
Haus reisen.

v. H a s e n p o t h. Wenn hast du denn drum geschrieben? zum Teufel! – Urlaub! und ich weiß kein Wort
von.   40

v. Gröningseck. Ein großes Verbrechen, wahrhaftig! Bey der Generalrevue bat ich den Inspektor selbst drum.

Major. Und ich schrieb auch noch an den Minister,
5 und kan ohne mir was zu schmeicheln sagen, daß ich den Congé wohl unterschrieben würklich in der Tasche hab. Preuve de cela! hier ist er! – *(giebt ihn dem von Gröningseck.)*

v. Gröningseck. Dank ihnen für den Freund-
10 schafftsdienst –

Major. Wenns ein Freundschafftsdienst ist, wie ich wünsche, und wenn sies dafür annehmen, so brauchts keines Dankens; – man dankt für ein Allmosen.

v. Gröningseck. Ihre doppelte Güte beschämt –
15 Major. Paperla, paperla, pap; wieder ein andres dummes Wort, das ich mein Lebtag nicht leiden konnt: Beschämen! – Ein hundsfüttischer Laffe, dem mans ins Gesicht sagt, daß er ein Hundsfutt ist, *der* wird beschämt, kein ehrlicher Mann.

20 Magister *(heimlich zum von Hasenpoth.)* Ein sonderbarer Mann! seine Laune gefällt mir.

[54] v. Hasenpoth. Der beste und der tollste Kopf im ganzen Regiment; wie sie wollen.

Major. Gewöhnen sie sich dergleichen abgeschmackte
25 Wörter ab, meine Herren! noch wird sies wenig Müh kosten, – ist aber ein falscher Handgriff einmal erst eingewurzelt, so hat man des Henkers Arbeit ihn wieder aus den Knochen zu bringen. – Apropos! heut hab ich einen Hauptspaß erlebt; – in der Auberge, wo ich
30 speise: ich nähm, hohl mich der Teufel! nicht viel Geld, daß ich ihn nicht selbst mit angesehn hätte; – vielleicht wissen sie schon drum, meine Herren? – *(v. Gröningseck und v. Hasenpoth sehn einander an, und schütteln die Köpfe.)* – Nicht? das wundert mich;
35 so was lauft doch sonst wie ein Lauffeuer von Mund zu Mund: – Desto besser! so erfahren sie doch die lautre reine Wahrheit, denn ich hab den ganzen Spuck selbst mit angesehn, und soll mich der Teufel lebendig zerreißen, eh ich ein Wort dazu setz oder davon
40 thu. – – Gestern Nachmittags, wie ich auf dem

Spiegel mein Gläschen Liqueur trank, um die Verdauung
zu befördern, sah ich am Fenster das in den Hof geht,
zween Officier, den einen von Lionnois, den andern
von Anhalt, eine Parthie Piket miteinander spielen:
– es gieng haarscharf! daß kann ich ihnen versichern;   5
zu drey Livres die Parthie und alle honneurs bezahlt;
ich setzte mich, da es mein Leibspiel ist, hinter den
letztern, der schon grimmig im Verlust war, und sah
dem Ding ein Weilchen so zu; – mein [55] Lebtag hab
ich nicht mit so viel Unglück spielen sehn, allen Augen-   10
blick war er gesechzigt, oder geneunzigt, da war vor
Gott Gnade! – seine Thälerchen flogen, sapperment!
daß es nur eine Lust war. – Indem kommt der Lieutenant Wallroth von Salis, stellt sich hinter den andern
gegen mir über, sieht so ein drey, vier Spiel mit an,   15
wird einmal roth, einmal blaß im Gesicht; ich dacht,
er wär moitié mit meinem Mann, und der Verlust
ärgerte ihn: – auf *einmal*, Gott weiß, wie er das Ding
so gleich weg hatte! auf einmal that er eine so furiose
Attaque auf den Geldhaufen, der vor ihm lag, schob   20
alles groß und klein dem von Anhalt zu, und sagte:
»Härr, dies Geld ischt oier! 's goht hie nit bieder zu;
ihr syd der Dup vom Spiel: drymol hinterenonder hot
sich der Härr do die Ass in Talon gemischt: ha'ns
selbst mit angesehn« – Noch hat er nicht ausgeredt,   25
hören sie nur! hören sie nur, so gab ihm der von Lionnois eine so derbe Maulschelle, daß der ganze Saal davon erscholl. Sie wollten zugleich nach den Degen greifen, aber daran wurden sie vom Osterried und seinen
Markörs verhindert. – *Wir* standen alle wie vom Don-   30
ner gerührt da. – Der Chevalier de fortune skisirte
sich endlich, ohne daß wirs gewahr wurden, und ein
Weilchen drauf gieng der ehrliche Schwitzer auch fort.

---

1 *Spiegel:* Café in Straßburg.

4 *Piket:* Kartenspiel, bei dem man auf 100 Pics, d. i. Augen,
spielt.

24 *Talon:* Kartenstamm beim Glücksspiel.

29 *Osterried:* Nach Froitzheim Straßburger Familienname.

30 *Markörs:* Ordnungstruppe.

31 f. *sich skisiren:* Sich wegstehlen.

– Glückliche retour! dacht ich so bey mir selbst, da
wird gewiß einer auf den Arsch gesetzt. – Aber pardieu, nein! Wallroth gieng zum Kommendanten, zeigte
den ganzen [56] Verlauf an, und so mußte der andre
5 noch in der nemlichen Stunde ins Pontcouvert wandern. – Cassirt und mit Schand und Spott vom Regiment gejagt, ists wenigste, was ihm wiederfahren wird.
v. Gröningseck. Die Kanaille verdients auch! –
und Wallroth –
10 Major. Wird bongré malgré auch quittiren müssen.
Magister. Wie so Herr Major? hat er nicht als ein
braver Mann gehandelt?
Major. Brav und nicht brav? das verstehn *sie* nicht.
Als ein recht braver Kerl hätt er nicht zum Kommen-
15 danten laufen; sondern seinem Mann das Weiße im
Aug selbst weisen sollen. – Damit ichs nun aussage;
heut Mittag kam Wallroth, wie wir schon unsrer drey-
zehn oder vierzehn an Tisch saßen, wie gewöhnlich
auch in die Auberge; so wie er ins Zimmer trat, kehrt
20 ihm sein Nachbar den Teller um: *Er*, als ob ers nicht
verstünde, setzt sich hin, und stellt ihn wieder zurecht.
– Nun stand, grad als wenn sie sich alle das Wort gegeben hätten, einer nach dem andern auf und gieng
zum Tempel hinaus: endlich packt ich mich auch fort,
25 und – da hätten sie die Fratze sehn sollen, die er
machte: gemahlt möcht ich sie haben! – Da könnte
man sehn, wie dumm es läßt, wenn man beschämt ist. –
v. Gröningseck. Der arme Teufel dauert mich.
[57] Major. Mich auch, aber! – sehn sie nun ein, mein
30 Herr! warum er wird quittiren müssen? vorher hätt ers
nur mit Einem zu thun gehabt, jetzt hat er ihrer vierzehn auf dem Hals, muß sich, wenn er bleiben will,
mit allen herumpaucken.
v. Hasenpoth. Natürlich! denn sie haben ihn alle
35 beleidigt.
Magister. Aber – die Duelle sind ja verboten!
Major. Verboten? – Pah! das Verbot gilt uns nicht! –
gilt keinem Kriegsmann!
Magister. Sie erlauben, Herr Major! sind sie nicht
40 auch Bürger des Staats, Unterthanen des Königs, so

gut wie andre? und schwören nicht unsre Könige bey
der Krönung keinem Duellanten, *ohne Ausnahm* Par-
don zu geben?

M a j o r. Das mag alles seyn, Herr Magister! mag ganz
wahr seyn! – ich hab auch das gute Zutraun zu jedem   5
rechtschaffnen Officier, daß er sich nicht in der Absicht schlagen wird, den König wider den Kopf zu
stoßen, oder seine Befehle zu übertreten: – will man
sich aber nicht von jedem Holunken auf der Nase tanzen lassen? will man sich nicht in Gesellschafften, bey   10
Tisch und im Dienst täglichen Beschimpfungen aussetzen, wie wir das Exempel heut an Wallroth haben,
so –

M a g i s t e r. Muß man gesetzbrüchig werden?

v. G r ö n i n g s e c k. Nicht anders, mein lieber Magi-   15
ster! das wundert sie? es gieng mir einst wie [58] ihnen.
– Wir andren Epaulettes haben, sobald wir mit Recht
oder Unrecht beleidigt werden, nur zwey Wege: entweder müssen wir unser Leben, oder unsre Ehre in die
Schanz schlagen.   20

M a g i s t e r. Das ist ja aber ein Widerspruch: wie! um
nicht für ehrlos gehalten zu werden, muß sich ein
rechtschaffner Mann der Gefahr aussetzen, seinen
Kopf auf dem Schavott dem Scharfrichter hinzu-
strecken: – unerhört!   25

M a j o r. Gar nicht unerhört! gar nicht! lieber das Leben
als die Ehre verlohren. – Das Schavott macht nicht
unehrlich, sondern das Verbrechen, und ein Verbrechen, wozu man gezwungen wird, ist kein Verbrechen
mehr. – Wenn *ich* in Wallroths Haut stäcke, so schlüg   30
ich mich, eh ich das auf mir sitzen ließ, lieber mit der
ganzen Garnison herum; mit einem nach dem andern
versteht sich. – Und wenn er heut noch Satisfaction
von mir fordert, so soll er sie heut noch haben, wenn
tausend Schavott und tausend Galgen daneben stün-   35
den. – – Wenn sie, Herr Magister, alle Widersprüche
heben, alles krumme grad machen können, so thun
sies! – ich will sie loben drum. A l'honneur, meine
Herren! – Eh sie reisen, Gröningseck, seh ich sie doch
noch?   40

v. G r ö n i n g s e c k. Wie billig.

M a j o r *(im Fortgehn.)* Ohne Abschied also! *(ab, Gröningseck begleitet ihn bis an die Thüre.)*

M a g i s t e r. Der Herr Major spricht –

5 v. H a s e n p o t h. Wie es einem Soldaten zu-[59]
kommt, und *Sie*, wie ein Mann von ihrem Stand sprechen muß: beyde können in ihrer Art Recht haben.

v. G r ö n i n g s e c k *(kommt zurück.)* Ja, mein lieber
Magister! so ists! – sie wissen nicht, wie sauer es uns er
10 einem oft wird ein ehrlicher Mann zu bleiben! wie
vorsichtig, bedächtig wir jeden Schritt abmessen müssen! – Aber – *(im schmeichlenden Ton.)* sie haben doch
über dem gelehrten Streit meinen Auftrag nicht vergessen?

15 M a g i s t e r. Gewiß nicht! – ihnen allen Zweifel desfalls zu benehmen, will ich gehn und sogleich Gelegenheit suchen mein Bäschen zu sprechen.

v. G r ö n i n g s e c k. Thun sies; sie verbinden mich un-
endlich. Zudem glaub ich ein Recht zu haben diese
20 Gefälligkeit von ihnen fordern zu können; ich fühl,
daß ich das nemliche für sie thun würde. *(drückt dem
Magister, der abgeht, die Hand.)*

v. H a s e n p o t h. Tausendsakerment! Gröningseck!
hast du dich nicht ein paarmal so dumm angestellt,
25 daß man dein ganzes Geheimniß dir in den Augen
lesen konnte. Wäre der Magister nur einen Grad mis-
trauischer –

v. G r ö n i n g s e c k. O dafür scheint er mir zu gut-
herzig!

30 v. H a s e n p o t h. Und den Auftrag, den du ihm da
gegeben!

v. G r ö n i n g s e c k. Hab ich sehr zweydeutig einge-
richtet: – mit vieler Müh, ich gesteh es. – Richtet er
ihn aber so aus, wie ich ihn ihm gab, [60] so kann er
35 doch seine gute Würkung haben. Evchen wird jedes
Wort verstehn, und vielleicht beruhigt sie das, wenigstens zum Theil. Da ich keinen sichren Weg weiß ihr
einen Brief zuzubringen.

v. H a s e n p o t h. Du hast ihr also noch nie geschrie-
40 ben?

v. G r ö n i n g s e c k. Nein! – da ich sie, seit dem ich im
Haus bin, noch nicht einen Augenblick ohne Zeugen
gesprochen habe, so mußt ichs auf diese Art angreifen.

v. H a s e n p o t h. So sag mir denn nur, was du eigentlich mit ihr vorhast? soviel ich muthmaße hat ihre 5
Melancholie physische Ursachen zum Grund.

v. G r ö n i n g s e c k. Das hat sie, ja! – sie ist schwanger.
– Ich hab schon zuviel gestanden, um dieses läugnen
zu können. – Überdies taugt eine halbe confidence
ihr Lebtag nichts. – Aber eben, weil sie es ist, von *mir* 10
– fühlst du, was das heißt? – von *mir* es ist, so könntest du, dächt ich, eben so gewiß auch muthmaßen,
was ich mit ihr vorhab; was ich thun werde, thun
muß. Ich werde sie heyrathen.

v. H a s e n p o t h. Du? 15

v. G r ö n i n g s e c k. Ich! – Das ist wohl der geringste
Ersatz, den ich ihr geben kann.

v. H a s e n p o t h. Der Lieutenant von Gröningseck die
Humbrechtin! – Unmöglich!

[61] v. G r ö n i n g s e c k. Warum? wenn ichs wissen 20
darf! warum? wie so unmöglich?

v. H a s e n p o t h. Fürs erste als Lieutenant –

v. G r ö n i n g s e c k. Ich kann ja quittiren, wo steckt
hernach die Unmöglichkeit? – Sie als Frau zu erhalten,
das soll mir nicht schwer werden: ich hab vieles ver- 25
schleudert, aber auch noch manches gerettet. – Den
Rest meines Vermögens selbst zu übernehmen, dies ist
die Absicht, in welcher ich um Urlaub anhielt; ich bin
jetzt majorenn und kann jeden Augenblick eintreten.
– So bald dies in Ordnung ist, komm ich wieder zu- 30
rück, und bitt mir Evchen vom Alten aus. Wenn ich
den blauen Rock auszieh, ist sie die Meine, das weiß
ich.

v. H a s e n p o t h. Du willst also allem entsagen? –

v. G r ö n i n g s e c k. Allem, allem! – eh ich *die* Höllen- 35
pein mit mir herumschleppen wollt! – Aber noch eins!
– merk dirs, Lieutenant, merk dirs! sag ich. – *(nimmt
ihn bey der Hand.)* Du bist der Einzige, dem ich mein
Herz geöfnet habe; noch ist kein Wort von alle dem,
was du gehört hast, über meine Lippen gekommen. – 40

Deine Anschläge haben mich in diesen Abgrund gestürzt – dieß ist kein Vorwurf den ich dir mache, du
verkantest den Engel, ich auch! und doch hätt ich ihn
besser kennen sollen, ich! ich allein! du nicht! – – jetzt
5 mußt du mir auch behülflich seyn mich wieder her-
auszuwinden. – Ich glaube deiner Tugend nicht zuviel
zuzutraun; – wärs aber! betrög ich mich [62] in meiner
Meinung! kommt nur ein Gedanke, nur ein Schatten
von dem, was ich hier in dein Herz legte, vor der Zeit
10 ans Tageslicht! – Hasenpoth? – *(läßt ihm die Hand
gehn, und bebt zurück)* – so fährst du oder ich dem
Teufel in Rachen. – Jetzt laß mich! – ich muß mich
verschnaufen, und Anstalt zur Reise machen. – Wir
sprechen uns noch. *(ab ins Kabinet.)*
15 v. H a s e n p o t h. Wenn du mit all deinen überspann-
ten Begriffen von Tugend sie zur Frau kriegst, so soll
mich der Teufel, vier und zwanzigmal auf und ab
durch die ganze Armee seiner dienstbaren Geister,
Spißruthen laufen lassen! – Nein, Herr von Grönings-
20 eck! ich muß erst Nachlese halten. – *(im Abgehn.)* Die
Karten will ich schon darnach mischen, – besser als der
Dummkopf auf dem Spiegel! – wart nur! *(ganz ab.)*

[63]　　　　　## Vierter Akt.

(Evchens Schlafzimmer; rechter Hand der Bühne ist die
25 *Thür, gegenüber sind Fenster, die auf die Straße gehn.*
F r. H u m b r e c h t macht eben, wie der Vorhang auf-
gezogen wird, das Fenster zu: E v c h e n ließt.)

F r. H u m b r e c h t. Noch seh und hör ich nichts von
ihm.
30 E v c h e n. Heut wird er schwerlich mehr kommen, Mutter! geh sie lieber ins Bett! Die Thore sind ja schon
längst zu.
F r. H u m b r e c h t. Wer weiß, kommt er nicht zum
Judenthor herein? es hat ja noch nicht eilf geschlagen.

E v c h e n *(seufzend.)* Daran dacht ich nicht.
F r. H u m b r e c h t. Schon wieder ein Seufzer! – hast
    du mir nicht so eben versprochen, das ewige Geächz
    und Gekrächz zu unterlassen? bist mir ein rechter
    Mann von Parole!   5
E v c h e n. O wenn ich ein Mann wäre!
F r. H u m b r e c h t. Was wärs?
E v c h e n. Noch heute macht ich mich auf den Weg
    nach Amerika, und hälf für die Freyheit streiten.
F r. H u m b r e c h t. Und ließest Vater und Mutter al-   10
    lein hier sitzen? Pfui Evchen! aber ich weiß schon, wo
    es steckt, du liebst uns halt nicht mehr.
[64] E v c h e n. Wie kan sie *das* denken, Mutter!
F r. H u m b r e c h t. Wie? – weil du kein Zutrauen
    mehr zu deinen Eltern hast, wo das nicht ist, ist auch 15
    keine Liebe.
E v c h e n *(gerührt.)* Mutter!
F r. H u m b r e c h t. Nicht anders: es thut mir leid, daß
    ich dirs sagen muß; – sonst, wenn dir nur ein Finger
    weh that, kamst du zu mir geloffen es mir zu klagen; – 20
    jetzt, verzeih dirs der liebe Gott, geht dir allemal eine
    Gänshaut aus, wenn du eins von uns beyden erblickst.
E v c h e n. Gewiß nicht! – sie thut mir das gröste Un-
    recht von der Welt, Mutter! wenn sie *das* sagt: ich
    lieb sie noch immer eben so stark – aber –   25
F r. H u m b r e c h t. Nun? –
E v c h e n *(schüchtern.)* Aber – es giebt Sachen, die man
    niemand entdecken kan.
F r. H u m b r e c h t. Warum nicht?
E v c h e n. Weil sie noch nicht reif sind; weil man sie   30
    sich selbst nicht so gestehn mag oder kann.
F r. H u m b r e c h t. Lauter Rätzel! – wenn dein Vater
    wieder so eine Antwort hörte, fuchswild würd er dar-
    über: – Du weißt, er kann das hinter dem Berg halten
    nicht ausstehn! ich auch nicht. Gestern, eh er zu Pferd 35
    stieg, glaubt ich, er wollte rasend werden: da er dich
    so recht vertraut auf seinen Schoos setzte, dir die
    besten Wort gab, dich herzte und drückte – –
[65] E v c h e n. Und auf einmal von sich stieß, daß ich
    bis ans Bett dort taumelte –   40

Fr. Humbrecht. Da war dein Starrkopf schuld
dran; und doch thats ihm gleich wieder leid, das konnt
ich ihm an den Augen ansehn. – Noch an der Trepp
aber hat er sich heilig vermessen, wenn er zurück käm,
5 und du den Kopf noch so hiengst, und ihm die Ursache nicht gestehn würdest, so wollt er dich nicht
mehr für sein Kind erkennen. Länger, sagte er, will ich
mich nicht von ihren Kaprissen, wie ein Kalb am Seil,
herumzerren lassen.

10 Evchen. So wahr Gott lebt! Mutter! es ist keine
Kaprisse; wollt es wär! – Soll ich aber die Wahrheit
gestehn, Mutter, so hat der Ungestüm, mit dem sie mir
die Ursache meines Kummers, die ich mir selbst noch
nicht gestehn mag, bald in den Augen lesen, bald mit
15 Drohen, bald mit Liebkosen herauspressen wollten,
sehr viel dazu beygetragen, meine Melancholie oder
Kopfhängerey, wie sies nennt, zu vermehren. Es ist
von ihrer Seit gut gemeint, das weiß ich, das fühl ich,
und leide doppelt drunter, weil ich ihnen jetzt wenig-
20 stens keinen Dank für diese Zärtlichkeit geben kann.
– Probier sies einmal Mutter! laß sie mich ein Weilchen in meiner Träumerey so hinschlendern, thu sie,
als bemerkte sies gar nicht, überlaß sie mich mir selbst,
bered sie den Vater es auch zu thun; nur auf ein Weil-
25 chen! vielleicht hebt sich alles – es *muß* sich heben,
und dann bin ich wieder ganz ihre Tochter, oder –
[66] Fr. Humbrecht. Oder? –
Evchen. Ein Kind des Tods.
Fr. Humbrecht. Wieder ein neuer Stich ins Herz!
30 – O Evchen! Evchen! Du wirst uns noch ins Grab
bringen. –
Evchen. Nicht doch, Mutter! nicht doch! euch nicht!
mich eher, wenn ihr mir nicht Ruh laßt. Probierts nur,
wie ich gesagt habe, ich bitt euch darum: es wird noch
35 alles gut werden. – *(fällt ihr um den Hals.)* Hier an
ihrem Hals hängend beschwör ich sie, versperrt eurer
Tochter den einigen Weg nicht, auf dem sie sich noch
retten kann.

8 *Kaprissen:* Launen.

Fr. Humbrecht *(wickelt sich los.)* Dein Vater! – ich
hör ihn.

Evchen. Sie verspricht mir doch –

Fr. Humbrecht *(nimmt ein Licht vom Tisch, ihm
entgegen zu gehn.)* Was kann ich halt machen! ich muß   5
wohl.

Humbrecht *(kommt gestiefelt und gespornt.)* Was
zum Henker sitzt du denn da oben Frau! und läßt
das Haus drunten leer stehn?

Fr. Humbrecht. Den Augenblick gieng ich herauf   10
zu sehn, was sie macht.

Humbrecht. Allerliebst! wenn die Mutter der Tochter entgegen gehn muß: hat sie nicht eben so nah zu
dir? – Wie das wieder da steht, als wenn ihm Gott
nicht gnädig wär! – Dem Vater nicht einmal guten   15
Abend zu sagen!

Evchen *(schüchtern.)* Guten Abend, Vater!

[67] Humbrecht *(spottend im nemlichen Ton.)* Guten Abend, meine Jungfer Tochter!

Fr. Humbrecht. Du fährst sie aber auch immer so   20
an; – kein Wunder, wenn sie sich vor dir fürchtet.

Humbrecht. Fürchtet! vor mir! – Tausend Element!
bin ich nicht ihr Vater! he, Evchen, bin ichs nicht? soll
ich etwa, wenn ich mit meinem Kind rede, jedes Wort
auf die Goldwaage legen? – Das gieng mir, hohl mich   25
der Kuckuck, noch ab!

Fr. Humbrecht. Närrchen! wer sagt denn das? –
nur dein Ton –

Humbrecht. Mein Ton, mein Ton! ist freilich keiner
von den zuckersüßen, mit Butter geschmierten, in dem   30
unsre glattzüngichte Herren ihre Komplimenten her-
krähen; – meine Tochter, dächt ich aber, hätt in sieb-
zehn, achtzehn Jahren, ihn schon gewohnen können!
– Ich bin doch auch, bey meiner Seelen Seeligkeit, kein
Menschenfresser nicht! – Komm her, Evchen, komm!   35
– bist ein guts Mädchen gewesen, hast deiner Mutter
gebeichtet? gelt! du hast?

Evchen *(verwirrt.)* Liebster Vater!

Fr. Humbrecht. Ja ja! sie hat; laß sie nur zufrieden jetzt, sollst alles hören.   40

H u m b r e c h t. Das ist brav! Das ist recht! – *(küßt sie.)* jetzt bist du mir wieder doppelt lieb. – Wars denn aber auch der Müh werth, den Kopf so zu hängen?

F r. H u m b r e c h t. Du wirsts schon hören, sag ich.

5 [68] H u m b r e c h t. Fast sollt ich bös werden, daß du *mir* die Gunst nicht angethan hast; gestern erst, meynt ich, ich müßt dirs heraus hexen. – Da war aber mein Ton wohl schuld dran. – Wirst also wieder hübsch munter seyn, Evchen?

10 E v c h e n. So viel mir möglich.

H u m b r e c h t. Wieder in Gesellschaften, in die Kirch gehn? nicht immer in deinem Stall sitzen? –

F r. H u m b r e c h t. Puh! was Fragen! das wird sich schon finden: eins nach dem andern. – Jetzt ists Zeit

15 Schlafen zu gehn, es schlägt gleich zwölf. – Komm Alter! *(zieht ihn am Ermel fort.)* Gut Nacht, Evchen!

H u m b r e c h t. Busoir, Busoir! – heut will ich dir einen Stiefel wegschnarchen, Frau! – *(macht sich los, kehrt um, und nimmt Evchen bey der Hand.)* verzeih

20 dir der liebe Gott alle die schlaflosen Nächte, die du uns eine Zeither gemacht hast. – Schau! ich weiß er hat alle meine Seufzer, alle Thränen deiner Mutter ge- zählt; mög er dir keine aufrechnen, mein Kind! – keine! – sonst müßten sie aufs neu fließen. – *(Evchen*

25 *fällt ihm weinend um den Hals, und küßt ihn.)* Jetzt schlaff wohl! *(ab.)*

E v c h e n *(ihm nachsehend.)* Armer Mann! guter, un- glücklicher Vater! – *(tiefseufzend.)* ich fürcht, ich fürcht, die schlaflosesten Nächte hast du noch zu er-

30 warten! – Sein Zorn ist mir fürchterlich, aber, Gott weiß es, seine Liebe noch mehr! – – *(setzt sich hin, und ließt eine Zeitlang.)* – Umsonst! [69] es thuts nicht – ich les und lese, und wenn ich das Blatt umschlag, weiß ich kein Wort mehr von allem, was drauf steht. – *(legt*

35 *das Buch hin, geht sehr bewegt, ein paarmal auf und ab.)* – Gröningseck! Gröningseck! was hast du nicht zu verantworten! –

v. G r ö n i n g s e c k *(der mittlerweil ganz angezogen,*

---

17 *Busoir:* Frz. bonsoir; gute Nacht.

doch ohne Hut und Degen, zur Thür hereinschlich,
stellt sein Licht auf den Tisch, und stürzt ihr plötzlich
zu Füßen.) Das weiß ich, Liebste, Theuerste! *wills* verantworten, will *alles* gut machen.

E v c h e n *(bebt zurück.)* Wie! sie erkühnen sich – um   5
Mitternacht – was wollen sie? was ist ihre Absicht?

v. G r ö n i n g s e c k. Die reinste, tugendhafteste, die je
ein Mann gehabt hat. Ihnen ihre Ruhe wieder zu geben –

E v c h e n. Können sie das? können sie geschehne Sachen   10
ungeschehn machen? – oder wollen sie sich zum Gott
lügen, und mich noch *einmal* täuschen?

v. G r ö n i n g s e c k. Das nicht, Evchen! wahrhaftig
nicht! – Das letzte mag ich nicht, das erste kann ich
nicht – und doch wollt ich, ich könnts! mit meinem   15
Blut wollt ich ihn wiederkaufen, den unglücklichen
Augenblick, da ich im Taumel –

E v c h e n. Er ist mir tief genug in die Seele gebrennt,
sie brauchen mich nicht noch selbst daran zu erinnern;
– oder – sind sie Satans genug, Verführer und Kläger   20
zugleich zu seyn? –

[70] v. G r ö n i n g s e c k *(springt auf.)* Ums Himmels
willen, für welch ein scheusliches Ungeheuer halten sie
mich! – Ich kam hieher –

E v c h e n. Zu einer Zeit, in einer Stunde, in der sie   25
nicht gekommen wären, wenn sie nur die geringste
Hochachtung noch für mich hätten.

v. G r ö n i n g s e c k. Verzeihn sie! Evchen! ich schwör
ihnen das Gegentheil: da ich ihre Delikatesse kenne
und billige, so stand ich lang an, eh ich mich zu diesem   30
unzeitigen Besuch entschließen konnte: es mußte aber
gewagt seyn! – ich war ihnen und mir es schuldig, sie
nochmals allein zu sprechen, eh ich nach Haus reise.

E v c h e n. Sie verreisen?

v. G r ö n i n g s e c k. So bald als möglich, um noch   35
zu rechter Zeit wiederkommen, und ihnen meine Hand
anbieten zu können.

E v c h e n. Ist das ihr Ernst, Gröningseck? spricht ihr
Herz so? mich deucht, sie schwuren mirs schon ehmals.

v. G r ö n i n g s e c k. Und wiederhohls hier aufs feyer-   40

lichste. – Ihrer beleidigten Tugend alle mir mögliche
Genugthuung zu geben, war, so bald ich fand, daß sie
das nicht waren, für das ich sie in meinem Leichtsinn
versehn hatte, meine erste Empfindung, und wird auch
5 da noch, wenn alle andren Empfindungen mit Blut
und Athem stocken, meine letzte seyn. – Möchte sie
dieses Versprechen doch in etwas beruhigen! Ich hab
nur *ein* Wort. – Aber, du Evchen – hast mir nicht
Wort gehalten.

10 [71] E v c h e n. Wie so!

v. G r ö n i n g s e c k. Versprachst du mir nicht, dir Gewalt anzuthun – dir nichts merken zu lassen! –

E v c h e n. Es ist wahr, ich versprach, mir alle Mühe
desfalls zu geben; thats auch, und –

15 v. G r ö n i n g s e c k. Und doch kam ich niemals ins
Zimmer, daß du nicht bis in die Augen roth geworden
wärst! – Wars Zorn, Verachtung, Abscheu?

E v c h e n. Das wars nicht, Gröningseck! ich liebte sie,
so wie ich sie kennen lernte, jetzt kann ichs ihnen sa-
20 gen – sonst hätten sie mich nicht so schwach gefunden,
– und kann sie auch noch nicht hassen, wenn ich auch
nie die Hofnung hätte, die Ihrige zu werden: – aber
den Gewissenswurm, der mir am Herzen nagt, zu er-
sticken, hab ich noch nicht gelernt! – wenn ichs könnte,
25 würde ich doppelt vor mir erröthen.

v. G r ö n i n g s e c k. Göttliches Mädchen! *(ergreift ihre
Hand, und führt sie dem Mund zu.)*

E v c h e n *(zieht sie schnell zurück.)* Ich dachte, sie hätten nur *ein* Wort! – ists Vergessenheit? –

30 v. G r ö n i n g s e c k. Vergessenheit! Ergießung der Seelen! wie dus nennen willst – Kurz, ich kann nicht, ich
muß den Schwur meiner ewigen Treue mit einem
Handkuß versiegeln. *(will ihre Hand mit Gewalt küssen, sie stößt ihn von sich.)*

35 E v c h e n. Nein, Herr Lieutenant! – Sollten sie es auch
für Ziererey halten: ein Handkuß ist [72] nichts, das
weiß ich, und dennoch kann er zu allem führen. –
Wenn sie in Kleinigkeiten nicht Wort halten, wie soll
ich ihnen in wichtigern Angelegenheiten trauen? Ich
40 will ihnen wenigstens *einen* Meyneid ersparen. – Wer

einmal in Feuersnoth gewesen, und das zweytemal
nicht vorsichtig ist, verdient es, daß er darinn um-
kommt. – Bis wann denken sie wieder hier zu seyn?

v. G r ö n i n g s e c k. Zwey Monat werden mit der
Reise wohl drauf gehn.

E v c h e n. Zwey Monat! – Da wird mir das Herz noch
manchmal klopfen: – aber, das muß nun seyn, folglich
muß ich mirs auch gefallen lassen. – Ich heiß sie nicht
eilen, wenn sie ihr Herz das nicht selbst heißt, – so
bin ich ohnehin verlohren. –

v. G r ö n i n g s e c k. Das thuts gewiß.

E v c h e n. Jetzt, Gröningseck! ja! das glaub ich ihnen,
traus ihrer Rechtschaffenheit zu. Wer kann mir aber
für die Zukunft stehn? – niemand; sie selbst nicht! –
Keins von uns hat im Buche der Vorsehung sein Schicksal gelesen: – eine innre Stimme, die ich aber immer zu
betäuben suche, sagt mir, das Meinige wäre mit Blut
geschrieben.

v. G r ö n i n g s e c k. Evchen! wie kommen sie da dran?

E v c h e n. Wie? auf die leichteste, simpelste Art von
der Welt. – Den Fall gesetzt, sie hielten ihr Wort
nicht –

v. G r ö n i n g s e c k. *Der Fall* ist aber unmöglich! –

[73] E v c h e n. Das kann nur die Zeit lehren: – ich setz
indessen – hören sie nur! – sie hielten ihr Wort nicht,
überließen mich meinem Schicksal, dem ganzen Gewicht der Schande, die mich erwartet, dem Zorn meiner Anverwandten, der Wuth meines Vaters, glaubst
du, daß ich dies alles abwarten würde? abwarten
könnte? – gewiß nicht! – die grauenvollste Wildniß
würde ich aufsuchen, von allem was menschliches Ansehn hat entfernt, mich im dicksten Gesträuch vor mir
selbst verbergen, nur den Regen des Himmels trinken,
um mein Gesicht, mein geschändetes Ich nicht im Bach
spiegeln zu dürfen; und wenn dann der Himmel ein
Wunderwerk thäte, mich und das unglückliche Geschöpf, das Waise ist noch eh es einen Vater hat, beym
Leben zu erhalten, so wollt ich, so bald es zu stammel-
len anfieng, ihm statt *Vater* und *Mutter*, die gräßlichen Worte, *Hure* und *Meyneid*, so lang ins Ohr

schreyn, bis es sie deutlich nachspräche, und dann in
einem Anfall von Raserey durch sein Schimpfen mich
bewöge, seinem und meinem Elend ein Ende zu machen. – Wär das *nicht* blutig? Gröningseck! –

5 v. G r ö n i n g s e c k. Nur zu sehr – die Haar stehn
mir – ich bin Soldat – war sehr jung schon im Feld mit;
hab manche schreckliche Scene mit angesehn – aber so
was –

E v c h e n. Kannst nur *du* veranlassen, und ich ausfüh-
10 ren!

[74] v. G r ö n i n g s e c k. Da bewahr sie Gott vor! –
mir schaudert schon beym Gedanken! – Ums Himmelswillen, Evchen! entsagen sie doch allen diesen
melancholischen Träumereyen, schlagen sie sich die-
15 selben ganz aus dem Sinn – verlassen sie sich auf mich,
auf mein gegebenes Ehrenwort, auf meinen Überrest
von Gefühl und Tugend; wenns auch nur ein Fünk-
chen wär; so haben sie es doch wieder angefacht.

E v c h e n. Gut, Gröningseck! so seys denn! – ich ver-
20 sprechs ihnen.

v. G r ö n i n g s e c k. Versprechen sie mir aber auch
ruhig und gelassen die Zeit zu erwarten?

E v c h e n *(nachdenkend.)* Ich möchte nicht gern mehr
versprechen, als ich halten kann.

25 v. G r ö n i n g s e c k. Du kannst es, Liebchen! so bald
du mir zutraust, daß ich ein ehrlicher Mann bin.

E v c h e n. Will ich mich nicht selbst verrathen, und
meine Eltern auf die wahre Spur bringen, so werd ich
wohl müssen. – Sie glauben nicht, wie nah sie mirs
30 schon gelegt, wie sehr sie mir zugesetzt haben! – mehr
als *einmal* zitterte mir das fatale Geheimniß auf den
Lippen, nur die Furcht –

v. G r ö n i n g s e c k. Behalten sies ja bey *sich*; ich beschwöre sie darum; ich zittre, wenn ich mir ihren Va-
35 ter denke; – wenden sie alles an, bieten sie ihre ganze
Munterkeit auf, ja keinen Verdacht zu erwecken. – Es
muthmaßt doch wohl niemand –

[75] E v c h e n. Dem Magister trau ich am allerwenig-
sten; seine Luchsaugen haben mich schon mehr als ein-
40 mal außer Fassung gebracht. – Der Auftrag, den sie

ihm gestern gaben, gieng ihm gewaltig im Kopf herum;
ich sahs ihm an, und stellte mich, als wäre mir gar
nichts daran gelegen.

v. G r ö n i n g s e c k. Sollte er wohl niederträchtig genug seyn, ihnen schaden zu wollen?   5.

E v c h e n. Das nicht, Gröningseck! – bös meynt ers
nicht mit mir, vielleicht nur zu gut. So viel ich merke,
hat er heimlich Absichten auf mich; meine Mutter mag
mit drunter stecken. – Die Herren sinds gewohnt, sich
als Kandidaten schon ihr Mädchen zu wählen; kriegen   10
sie hernach in zehn, funfzehn Jahren eine Dorfpfar-
rey, so dörfen sie nicht lang nach einer Frau suchen.

v. G r ö n i n g s e c k. Bis dorthin können wir ihm vielleicht selbst mit einer Tochter bedient seyn.

E v c h e n. Sorgen sie nur, daß sie sich ihrer Mutter   15
nicht schämen darf. – Jetzt gehn sie; die Nachbarn
sinds nicht gewohnt, so lange Licht bey mir zu sehn. –

v. G r ö n i n g s e c k. Bekümmert sich Evchen auch um
die? –

E v c h e n. Wenns da *(aufs Herz deutend)* nicht richtig   20
ist, – wenn das uns Vorwürfe macht, so fürchtet man
sich vor seinem eignen Schatten. – Jetzt gehn sie, sag
ich; – morgen können sie mich noch bey meiner Mutter
sehn. Sie nehmen doch Abschied bey ihr?

[76] v. G r ö n i n g s e c k. Sehn! aber nicht sprechen!   25

E v c h e n. Ich werde jeden Blick verstehn. – *(sie gehn
der Thüre zu.)* Zwey Monat, sagten sie?

v. G r ö n i n g s e c k. Zwey Monat aufs längste! das
schwör ich ihnen nochmals, im Angesicht des Monds
und aller der Sterne, die dort am Firmament glänzen: 30
mein letzter Blick, wenn ich morgen in Wagen steig,
solls ihnen noch *einmal* schwören. – Nur ruhig, mein
Liebchen! *(drückt Evchen die Hand, und geht ab; Evchen öfnet halb die Thüre, steckt den Kopf hinaus und
ruft mit gedämpfter Stimme.)*   35

E v c h e n. Gröningseck! noch eins! *(er kommt zurück,
sie küßt ihn mit den Worten)* Den kann ich ihnen
morgen nicht auf die Reis geben! *(und riegelt die Thür
schnell hinter ihm zu.)*

Der Vorhang fällt.   40

Fünfter Akt.

(Das Zimmer vom zweyten Akt; Morgendämmerung.
E v c h e n steht vor dem Spiegel und setzt ein bonnet
rond auf. L i s s e l, ihre Magd, kommt herein.)

5 L i s s e l. Ey, Herr Jemer! wo will sie denn schon so
früh hin, Jungfer? in dem Nebel, er stinkt nach lauter
Schwefel.

E v c h e n. Das thut nichts, um Michaelstag herum kanns
nicht wohl anders seyn. – Ich will nur geschwind wo-
10 hin springen. – Lissel! o lauf doch und hohl mir deinen
baumwollnen Mantel – geschwind – lauf!

L i s s e l. Was will sie denn mit dem?

E v c h e n. Was, was? anziehn! du kriegst ihn gleich
wieder – sieh, da hast du derweilen meinen tafftenen
15 – heb dir ihn auf, bis ich wieder komm. – So geh doch,
ich muß fort, eh unsre Leute aufstehn.

L i s s e l. Wohin denn? – hat sie etwa was bestelltes? –

E v c h e n. Freilich! – halt mich nur nicht auf, geh!
(Lissel ab.) Wohin? – das weiß ich selbst nicht – so
20 weit mich die Füße tragen. – – Gröningseck! Gröningseck! es soll dir schwer werden wider den Stachel
zu lecken! – *Den* Brief mir zu schreiben! ich hab ihn
doch bey mir? [78] *(sucht in der Tasche und zieht ihn*
heraus) Ja! – *(guckt ihn noch einmal durch)* – Mir den
25 Hasenpoth vorzuschlagen, mich zur Allerweltshure machen zu wollen! – Die Spöttereyen über den Ort, wo
wir uns näher kennen lernten, versteh ich den nicht einmal;
mag sie nicht verstehn! – *(steckt ihn wieder ein.)* Das
aber alles zusammengenommen – o! das kann einem
30 schon Füße machen – *(erblickt die Portraite ihrer El-*
tern.) Ha! ihr Lieben! seyd ihr auch da? – hier auf den
Knieen dank ich euren Bildern für alles Liebs und
Gutes, das ihr mir erwiesen. *(weinend)* Ich lohns euch
schlecht – nur flucht, flucht mir nicht. –

35 L i s s e l *(kommt zurück, Evchen springt auf.)* Ich hör
den Herrn schon im Zimmer herumschlappen.

---

3 f. *bonnet rond:* Kopfbedeckung (von der Art der Baskenmützen).

E v c h e n. Geschwind denn! um Gottswillen geschwind!
wirf ihn mir um: so kennt man mich doch nicht so
leicht; – Den Kapuchon hinauf! – *(im Fortgehn dreht
sie sich noch einmal um.)* Den Mantel, Lissel! heb dir
auf, bis ich wiederkomm! hörst dus? – *(unter der*   5
Thür) Gib ihn ja nicht her, *bis* ich wiederkomm. *(ab.)*

L i s s e l *(raumt das Zimmer auf.)* Bis! Bis! – Unser
lieber Herr Gott weiß, was mit der Jungfer umgeht!
– ganz richtig ists nicht; so ängstlich hab ich sie noch
nie thun sehn. – Wenn ihr was Leids geschehn wär! –   10
so eine gute, verständige Jungfer! sie thät mir in der
Seele leid. – *(will mit dem Mantel abgehn, indem
kommt der Magister hastig herein.)*

[79] M a g i s t e r. Ist mein Vetter schon ausgegangen,
Jungferchen?   15

L i s s e l. Ausgangen? ja guten Morgen! er ist kaum auf-
gestanden.

M a g i s t e r. Desto besser! so verfehl ich ihn nicht; sag
sie ihm, ich hätte nothwendig mit ihm zu reden; er
möchte gleich herkommen.   20

L i s s e l. Schon recht Herr Magister! *(ab.)*

M a g i s t e r. Ich gäb noch was drum, wenn ich wieder
zum Hauß draus wäre – ich wage viel – indessen, ein
größeres Unglück zu verhüten; – wenns ist, wie ich zu
muthmaßen berechtiget bin, so ists besser, *ich* brings   25
meinem Vetter nach und nach bey, als daß ers von
Fremden erfährt, oder wohl gar selbst entdeckt. – Er
würde seiner ersten Wuth keinen Einhalt zu thun wissen. –

H u m b r e c h t *(im Nachtkamisölchen, Schlafmütz, und*   30
niedergetretnen Schuhen.) Guten Morgen, Vetter! wo
Henkers kommt *er* schon so früh her?

M a g i s t e r. Von Haus! ich gieng lieber etwas früher,
um sie nicht zu verfehlen.

H u m b r e c h t. Er muß also doch was großes auf dem   35
Herzen haben.

M a g i s t e r. Ich wünschte, es wäre nicht so. – Sie sind
ein Mann? –

H u m b r e c h t. Meiner Frau wenigstens hab ichs be-
wiesen.   40

Magister. Ohne zu spaßen, wenn ich bitten darf –
sie sind ein Mann, der Verstand hat –

Humbrecht. Meinen gesunden schlichten Men-
[80]schenverstand, so viel man in die Haushaltung
5 braucht, den hab ich – ja!

Magister. Gut! so nehmen sie ihn zusammen, Herr
Vetter! und hören, was ich ihnen zu sagen habe. – Es
geht mir sehr nahe – vielleicht bin ich auch irre, aber es
ist doch Pflicht –

10 Humbrecht. Nur nicht so viel Gepreambulums,
Herr Magister! – Pack er gleich recht an.

Magister. Erst geben sie mir aber ihr Wort als ein
ehrlicher Mann, daß sie mich geduldig ganz aushören,
und eh ich fertig bin, mir nicht von der Stelle gehn
15 wollen.

Humbrecht. Was zum Henker soll denn das vor
eine Predigt geben! – meintwegen, er solls haben, da
ist die Hand drauf. –

Magister. Jetzt zur Sache. Sind sie gestern in der
20 Klauskirche gewesen, Herr Vetter?

Humbrecht. Nein, *ich* nicht! aber meine Leute; das
leid ich nicht anders.

Magister. Es war Katechismuspredigt.

Humbrecht. Das kann seyn.

25 Magister. Die Reihe trafs grad, daß die zehn Gebott
in der Amtspredigt zum Text genommen wurden. –

Humbrecht. Nu, was weiter? – noch seh ich weder
kux noch gax.

Magister. Geduld nur! – Der Herr Pfarrer hielt sich
30 diesmal vorzüglich beym siebenten Gebot auf –

Humbrecht. Beym siebenten? – wart er, [81] wie
heißt es doch? – du sollst – du sollst – du sollst nicht
unkeusch seyn – nicht?

Magister. Ganz recht! – Nach der Predigt, wissen sie,
35 werden alle Quartal die Verordnungen von der Kan-
zel gelesen, die unsre Könige wegen den Duellen, dem
Hausdiebstahl und dem Kindermord gemacht haben.

---

27 f. *weder kux noch gax:* Sonst unbelegte Redensart für »überhaupt nichts«.

H u m b r e c h t. Das wußt ich, da ich kaum noch den
Hosenknopf aufmachen konnt, was solls aber –

M a g i s t e r. Gleich werden sies hören. – Ferner wissen
sie –

H u m b r e c h t. Ich weiß! ich weiß! daß ich bald toll
werde, und ihn allein stehn lasse, wenn er nicht fort-
macht.

M a g i s t e r. Sie haben mir versprochen, nicht eher vom
Fleck zu gehn – sie müssen also Wort halten. – Sie
wissen, wollt ich sagen, daß die Weiberstühle grade
der Orgel gegenüber stehn, wenigstens zum Theil –

H u m b r e c h t. Ja! – und daß ihr andre junge Herr-
chen euch während dem Gottesdienst bald blind nach
den armen Mädels schielt, daß weiß ich auch! hab mich
auch manch schönes mal schon drüber geärgert. – *Ich*
sollt einmal auf vier und zwanzig Stund nur Pfarrer
seyn, ich ließ euch samt euren Guckgläsern durch den
Steckelmann zum Tempel hinaus jagen!

M a g i s t e r. Wenn sie mich nicht hören wollen, Herr
Vetter!

[82] **H u m b r e c h t.** Ja doch! ich hör ja!

M a g i s t e r. Ich stand also auf der Orgel und konnt
mein Bäschen grad ins Gesicht fassen.

H u m b r e c h t. Mein Evchen?

M a g i s t e r. Ja! – von ungefähr sah ich ihr in der Predigt, grade bey der Stelle, von der ich schon vorhin
sagte, etwas steif in die Augen. Da wurde sie feuer-
roth, gleich drauf wieder bleich, wie ein Tuch, schlug
die Augen nieder, blieb die ganze Predigt durch so
unbeweglich sitzen, und fiel endlich, da die Ordon-
nanz von den Kindermörderinnen verlesen wurde, gar
in Ohnmacht.

H u m b r e c h t. Nun, und da führte man sie zur Kirch
hinaus an die frische Luft, und da erholte sie sich
wieder, und jetzt ist sie wieder so gesund als vorher. –

M a g i s t e r. Es ist aber – es thut mir leid, daß ich es
sagen muß – es ist aber doch bedenklich –

H u m b r e c h t. Bedenklich! – *ich* seh gar nichts be-

---

18 *Steckelmann:* Kirchenschweizer.

denklichs: wenn ein junges unschuldiges Ding sich so
viel von Unkeuschheit, Hurerey und Unzucht in die
Ohren poltern hört, wenn noch oben drauf ein paar
abgeschmackte Maulaffen es starr in die Augen dar-
5 über anplarren, so seh ich gar nichts bedenklichs dabey, wenn ihm der Kopf schwindlicht wird, wenns
bald roth bald blaß vor Ärger wird –

M a g i s t e r. Aber die Ohnmacht! – grad an *der*
Stelle –

10 [83] H u m b r e c h t *(zieht ehrerbietig seine Schlaf-*
mütze ab.) Nimm er mirs nicht übel, Vetter! man sieht
wohl, daß er gstudirt ist. Ihr wohlweiße Herrn wollt
immer mehr sehn als ander Leut; 's geht euch aber,
wie allen Triefaugen, – wenn sie gegen die Sonne
15 stehn, sehn sie alles doppelt, und nichts recht. – Was
Tausendelement noch einmal! kann man etwa die
Ohnmachten bestellen, wenn sie kommen sollen?

F r. H u m b r e c h t *(kommt geloffen.)* Du schreyst ja,
Mann, daß die Leut vor der Thür stehn bleiben.

20 H u m b r e c h t. Es wird einem auch darnach gekocht!
– Da kommt mir der Siebenkünstler da in aller Früh
schon her; und brummelt mir von Rothwerden, von
Ohnmachten, die unser Evchen gestern gehabt hat, die
Ohren voll; und will, was weiß ich? draus schließen.

25 F r. H u m b r e c h t *(rümpft die Nase, und zuckt die*
Achseln.) Da schließt sich wohl was! – Es war ihr
nicht wohl, sonst wüßt ich nicht was man draus schließen könnt.

M a g i s t e r. Eigentlich kam ich hieher, um mit dem
30 Herrn Vetter allein zu sprechen: – doch, weil sie *da*
sind, Frau Baas – ich weiß, sie sinds überzeugt, daß
ich ihrer Jungfer Tochter gut bin – sie machten mir
selbst einst Hofnung – *(stotternd)* aber – kurz, weil
der Herr Vetter meinem Bemerkungsgeist nichts zu-
35 trauen will – so will – so muß ich – *(zieht eine Brief-*
tasche heraus, und sucht etwas.)

[84] F r. H u m b r e c h t. Du lieber Gott! was sollen
denn das für Bemerkungen seyn? – Martin!

---

5 *anplarren*: Mit trüben Augen angaffen.

H u m b r e c h t. Weiß ichs? – Wenns mir recht ist, so
hält er uns für Kalbsköpf, die keine Augen haben,
und unser Evchen – wenigstens für eine Hure.
M a g i s t e r *(betroffen.)* Herr Vetter!
F r. H u m b r e c h t. Was! mein Evchen? – Herr Ma-   5
gister! weiß er auch, was er da sagt? – he! – da
kommt er mir recht; – ich setz mein Leben zum Pfand,
meine Tochter ist ehrlich – das sagt ihr kein braver
Mann nach, und wenn *ers* wär, Herr Magister! – Vetter mag ich ihn gar nicht mehr heißen. – *(setzt sie*   10
Händ in die Seiten.) Ist das der Dank für alles Liebs
und Guts, was wir – was mein Mann ihm erzeigt hat;
hat ihm schon in der Klass die Singstunde bezahlt, –
wie er ins Kloster kam, das Kommod geschenkt, mit
dem er sich noch jetzt so patzig macht, he! – Ist das   15
der Dank, daß ihm mein Evchen für das Bissel Klavier, daß ers gelehrt hat, den Magisterring an den
Finger gesteckt hat! – wenn *wir* nit gewesen wären,
hätt er ja mit samt seinen Stipendien doch nit können
prumoviren! wie lang waren sie schon verfressen? he! –   20
H u m b r e c h t *(hält ihr das Maul zu.)* Frau! Frau! Du
machst ja sechsmal mehr Lärm als ich!
F r. H u m b r e c h t *(reißt sich los.)* Hab ich nicht Ursach? – wer meinem Evchen was an der Ehr abschneiden will, der greift *mir* ins Aug.   25
[85] M a g i s t e r. Frau Baas! Um Gottswillen – Ich
empfehl mich. *(will fort.)*
H u m b r e c h t. War denn das alles, was er mir sagen
wollt.
M a g i s t e r. Nein! – aber *(auf die Frau deutend.)* so   30
lang sie da ist, bin ich stumm.
H u m b r e c h t. Liebe! geh ein Bischen hinein. Komm!
(kriegt sie beym Arm.) nur ein Bischen.
F r. H u m b r e c h t. Keine zehn Pferd bringen mich
fort! – Nicht von der Stelle! – ich will mit anhören,   35
was er meinem Evchen nachsagen kann.
M a g i s t e r. Ich will ihm nichts nachsagen, Frau Baas!
ich schwörs ihnen. Sie wissen ja, daß ich ihr von je her

14 *Kommod:* Um 1760 kam in Frankreich die Kommode auf.

gut war – und eben deswegen glaub ich verpflichtet
zu seyn, ihnen von einem und dem andern, daß sie
noch nicht wissen, vielleicht nicht wissen können,
Nachricht zu geben. – Noch glaub ich es selbst nicht; –
5 ich bins aber ihnen schuldig, für eben die Gütigkeiten,
die sie mir den Augenblick mit so viel Bitterkeit vor-
warfen, bin ichs ihnen schuldig zu sagen, und *ihre*
Pflicht ist es, nichts ununtersucht zu lassen. – Sehn sie,
dieß Briefchen wurde mir gestern Abends zugeschickt.
10 – Lesen sie selbst; ich würde gar keine Notiz davon
genommen haben, wär nicht des Morgens in der Kirche
schon der andre Vorfall geschehn. *(gibt Humbrechten
ein Briefchen, den Umschlag behält er, und steckt ihn
endlich in die Tasche.)*
15 H u m b r e c h t. Die Pfote mag der Teufel lesen, [86]
ists doch, als hättens die Hüner zusammengekrazt!
(giebts zurück.)
M a g i s t e r. Geben sie her: ich wills ihnen Wort für
Wort vorlesen; sehn sie aber ja mit hinein, daß sie
20 mich nicht hernach wieder beschuldigen –
F r. H u m b r e c h t *(stampft mit dem Fuß.)* Nun, so
leß er, leß er nur!
M a g i s t e r *(ließt, und deutet Sylbe für Sylbe mit dem
Finger, Martin Humbrecht und seine Frau sehn auf
25 beyden Seiten hinein.)*

»Mein Herr!
Sie heißen Humbrecht, und mögen leicht mehr Verstand haben, als alle in ihrer Familie, die diesen Nahmen führen. Fragen sie doch Evchen Humbrecht, ihre
30 Baase, ob sie dumm genug ist zu glauben, daß ich sie
würklich heyrathen wollte. Wenn sie zurückdenken,
und sich des Orts erinnern will, wo wir unsre Be-
kanntschaft gemacht, so kann sie mirs nicht zumuthen.
Wenn sie aber hundert Thaler nicht hergeben will
35 um ihr Kind ins Findlinghaus zu thun, so will ich
allenfalls davor Rath schaffen. Es liegt ihnen selbst
daran dieses zu wissen.   v. Gröningseck.

N. S. Es bedarf keiner Antwort, sie trifft mich doch
nicht.«

*(Magister guckt sie wechselsweis, das Papier in der Hand
haltend, an.)*

[87] H u m b r e c h t. Gröningseck! so hieß ja der
Bayerofficier, der bey uns logirt hat!

M a g i s t e r. Eben der! der Evchen auf den Ball –

F r. H u m b r e c h t *(reißt dem Magister den Brief aus
der Hand)* Ja, der hieß so! – wie aber *der* heißt, der,
der den imfamen Pasquill hier geschmiert hat, das
weiß ich nicht: *(reißt ihn, weil sie spricht in tausend
Stücken, und tritt mit Füßen darauf.)* – wenn ichs
wüßte, so krazt ich ihm die Augen aus.

H u m b r e c h t. Frau! weißt du was? ruf das Mädel
einmal her; – jetzt ärgerts mich, daß wir ihr den
Wisch nicht selbst können zu lesen geben – *(will die
Stücken aufraffen.)* Du bist verflucht fix, Frau!

F r. H u m b r e c h t. Zu lesen! wofür? daß sie ihren
Tod dran hohlt, sonst wüßt ich nicht warum? ists nicht
'ne Schand und Spott, daß so ein alter Esel, wie du
bist, auf so Kindergeschwätz gehn kann? – Ja! wenn
ich nicht beständig um sie gewesen wär! – aber so!

H u m b r e c h t *(gebietrisch.)* Gehst du, sag ich, oder
ich geh. *(Frau Humbrecht bohrt dem Magister einen
Esel, und geht ab.)* – Vetter! – *(ihn an der Schulter packend.)* unter uns! – vor meiner Frau wollt ich
michs so nicht merken lassen – aber – wenns wahr ist,
wie er mirs da vorgelesen hat, so kommt mir das
Mensch nicht mehr ganz zur [88] Stub hinaus – die
Rippen im Leib tret ich ihr entzwey, und ihrem Bastert
dazu!

M a g i s t e r *(gesetzt.)* Herr Vetter! wenn sie nur einen
Funken von Religion haben, so fassen sie sich. Ich kam
nicht hieher um Augenzeuge eines Verbrechens zu
seyn. – Zudem ists ja noch nicht ausgemacht. – War
Gröningseck mein Freund, wie er sich stellte, so ist der
Ton seines Briefs mir ein Rätzel. – Mit den andern
Umständen aber zusammengenommen, verdient die
Sache schon Untersuchung. – Doch! wie gesagt, daß sie
sich ja nicht vergreifen! sonst – vielleicht ist auch –

---

22 f. *einen Esel bohren:* Höhnische Gebärde.

F a u s t h a m m e r *(kommt.)* Ischt er der Master Hum-
bräckt, der Metzjer?

H u m b r e c h t. Ich meyns.

F a u s t h a m m e r. Do schickt mi der Härr Fischkol
5 mit der Duse här, er soll ämol sehn, ob er sie kennt?

H u m b r e c h t. Dich kenn ich zum wenigsten – bist du
nicht der Hans Adam, der Bettelvogt daneben im
Bocksgässel?

F a u s t h a m m e r. Gar rächt! – wir werden abber
10 Fusthämmer, nit Bettelvögt tittlirt.

H u m b r e c h t. Hohl der Teufel die Tittel! – ich frag
dich, ob du der nemliche bist, der vergangnes Frühjahr, ein armes Kind von fünf Jahren, vor Becker
Michels Thür unter der grosen Gewerbslaub zu Tod
15 geprügelt hat.

F a u s t h a m m e r. Ey! worum hätt die Krott au ge-
bettelt! – 's ischt mer halt äi Straich mislungen –

[89] H u m b r e c h t. Wart Racker! ich will dich be-
krotten! – wenn du ein Vieh bist, so geh in Wald zu
20 den andern wilden Thieren; *(kriegt ein spanisch Rohr,
und prügelt ihn tüchtig durch.)* Jetzt geh, Kanaille!
ich hab dirs lang nachgetragen; bist mir auf einmal in
die Kluppen gekommen.

F a u s t h a m m e r *(der während dem Prügeln die Dose
25 fallen ließ, im Abgehn.)* – Schunn guht! schunn guht,
er solls nit umsunst gethon han! *(reibt sich den Buckel.)*

H u m b r e c h t. Nicht umsonst? – hast du doch das
Kind umsonst todtgeschlagen, und hat kein Hahn darnach gekräht, du Schindersknecht. – Wart, ich will dir
30 den Buckel noch besser reiben, wenns nicht genug ist –

F a u s t h a m m e r *(lauft fort.)* Schunn guht! – schunn
guht! – wärds ze melden wissä. *(ab.)*

H u m b r e c h t *(wirft das Rohr in eine Ecke.)* Der kam
mir eben recht! – Der Himmelsakerment! – Ein Kind
35 von fünf Jahren mit seinem spanischen Hengst so
lange zu prügeln, bis es die schwere Noth kriegt, und
krepirt! – und warum? – weil es ein Stück Brod

7 *Bettelvogt:* Verächtliche Bezeichnung der Polizeidiener.
16 *Krott:* Kröte.
23 *Kluppen:* Kastrierzangen.

bettelt, das es doch auch nicht stehlen darf – Dich soll
das heilige Donnerwetter! – hätt ich dem Hund nur
besser gegeben!

M a g i s t e r. Aber bedenken sie auch, Herr Vetter, daß
ihnen das Ding kann übel ausgelegt werden?   5

H u m b r e c h t. Nu! laßt michs auch ein paar hundert
Gulden kosten, die will ich gern geben! [90] hab ich
doch an dem Racker mein Müthchen gekühlt. –

M a g i s t e r. Und die Obrigkeit mit in ihm beleidigt –

H u m b r e c h t. Obrigkeit! Obrigkeit! – ich hab allen   10
möglichen Respekt für meine Obrigkeit – aber *den*
Viehkerls wenigstens sollte sie nicht so viel Gewalt
geben; – haben nicht ihrer zween noch erst vor kurzen
einen armen Handwerksburschen, der im nemlichen
Fall war, aufs erbärmlichste mishandelt, ihm mit Fü-   15
ßen das Gemäch entzwey getreten, daß er drey Stund
drauf den Geist aufgab? – Und das soll Ordnung
seyn? he! –

M a g i s t e r. Die werden ihren Lohn schon kriegen! –
Herr Vetter! Herr Vetter! nehmen sie sich in Acht.   20

H u m b r e c h t. Ey was! ich sag, was wahr ist, und da
fürcht ich den Teufel nicht.

F r. H u m b r e c h t *(kommt geloffen, rauft sich die
Haare.)* Martin! Martin! – ach, du lieber Gott! Evchen
ist nirgends zu finden.   25

H u m b r e c h t. Was, nicht zu finden? o nun glaub ich
alles! – hast du recht nachgesehn – in ihrem Zimmer –
in der Küch? –

F r. H u m b r e c h t. Alles! alles durchsucht; in der
Metzig so gar bin ich gewesen, hab keinen Odem mehr   30
– Gerechter Gott, was soll *das* seyn?

M a g i s t e r. Hat sie denn niemand gesehn? war sie
gestern –

[91] F r. H u m b r e c h t. Ach! ich saß ja noch ganz
spät bey ihr –   35

M a g i s t e r. Und *den* Morgen? –

F r. H u m b r e c h t. Dacht ich, sie schlief noch, wie

---

16 *Gemäch:* Die männlichen Geschlechtsteile.
30 *Metzig:* Metzgerstube; Fleischbank.

sonst. – Da ist sie in aller Früh, wie ich von der Magd
höre, ganz kunsternirt zum Hauß hinaus gegangen. –
Wenn sie sich nur nicht ins Wasser gestürzt hat! – sie
war ein paar Wochen her wieder so melancholisch –

5 H u m b r e c h t. Der Teufel soll die Melancholie hohlen, die Händ und Füß hat! – Ich bin vor den Kopf
geschlagen, wie ein Ochs – Schick den Augenblick bey
allen Bekannten herum, ob sie nicht da ist, ich will
selbst hinten hinaus zu deiner Schwester springen –

10 *(sie will abgehn, er lauft ihr vor und sagt.)* bleib nur,
ich wills der Magd selbst sagen. – Im Augenblick bin
ich wieder da, Vetter! *(ab.)*

F r. H u m b r e c h t *(stolpert im Rückweg über die Dose,
guckt darnach, hebt sie auf.)* Gott! meine Tobacks-

15 büchse, die ich ausrufen ließ, wie kommt die hieher?

M a g i s t e r. Ein Fausthammer brachte sie, von Polizey-
wegen; ihr Mann, der, wie er sagte, schon längst einen
Groll auf ihn hatte, prügelte ihn, da ließ er sie vor
Schrecken fallen, und lief fort.

20 F r. H u m b r e c h t. So kommt denn alles zusammen!
(steckt sie ein.) – Wer hätte so was gedacht, Herr Vetter! *(Magister zuckt die Achseln.)* – Aber noch *kann*
ichs nicht glauben, und *kanns* [92] nicht glauben. Sie
war immer so duß, so fromm wie ein Lamm! er weiß

25 selbst, wie viel hundertmal haben wir nicht gesagt, sie
müßte Frau Pfarrerinn werden. – Sie ist mir ja nicht
aus den Augen gekommen, sie hat den verfluchten
Leutenant, Gott sey mir gnädig! ja niemals, ohne mich
gesprochen.

30 M a g i s t e r. Er spricht aber doch in seinem Brief von
einer Zusammenkunft –

F r. H u m b r e c h t. Die hat er aber nicht mit ihr gehabt, und kann sie nicht gehabt haben, so wenig, als
mit mir –

35 H u m b r e c h t *(kommt wieder.)* 'S ist alles aus! sie ist
auch da nicht.

F r. H u m b r e c h t. Barmherziger Gott! ich bin des
Tods noch.

---

24 *duß:* Frz. douce; sanft.

Humbrecht. Jetzt können wir nur dem Vetter zu
Fuß fallen, und ihm unsre Beschimpfungen abbitten.

Magister. Darauf war ich vorher gefaßt; ich ließ sie
zum einen Ohr hinein, zum andern herausgehn. *(sieht
auf die Uhr.)* Jetzt *muß* ich fort; so bald es meine Ge- 5
schäften erlauben, bin ich wieder hier. – Nur keine
Excesse, so kann noch alles gut werden. – Aufs Wie-
dersehn! *(ab)*

Humbrecht *(wirft sich auf einen Stuhl.)* Das heißt
mir ein Morgen! *(seine Frau ringt die Hände und* 10
weint.) Der kann einem das Herz schon abstoßen! –
Gottlob, daß ich mir keine Vorwürfe machen darf;
ich hab euch oft genug von Tugend [93] und Ordnung
vorgepredigt! – Hab dir oft den Kablanzen gelesen,
Frau! wenn du ihr zuviel Freyheit ließest; – jetzt hast 15
dus!

Fr. Humbrecht *(im flehentlichen Ton.)* Ums Himmelswillen, Martin, lieber Martin! nur jetzt keine
Vorwürfe, wenn ich nicht auf der Stelle vergehn soll!
– *ich* hab das Meinige gethan – so gut wie du immer! 20

Humbrecht. Dann wohl dir! das ist ein groser
Trost, und doch keiner für ein Vaterherz! *(schlägt sich
wider die Stirne, indem geht die Thür auf, der Fiskal
kommt herein, zween Fausthämmer mit, über dem Ge-
räusch springt Humbrecht auf.)* 25

Humbrecht. Wer sind sie, mein Herr? was wollen
sie hier? wen suchen sie?

Fiskal. Sachte, mein Freund! er wird mich doch nicht
etwa auch durchprügeln wollen, wie den ehrlichen
Mann da? 30

Humbrecht. *Der*, ein ehrlicher Mann? ein Lumpen-
hund, ein Schindersknecht mag er seyn, aber kein –

Fr. Humbrecht. Still, Martin! der Herr Fiskal! –

Fausthammer. Do hören sies sälbst, Härr Fischkol! do höre sies, und dort leit der Stock noch. 35

Fiskal. Still nur! euer Schmerzengeld soll euch schon
werden.

---

14 *den Kablanzen lesen:* Sonst unbelegte Wendung für »die Leviten
lesen«; von Sauer mit dem Wort »Kaplan« in Verbindung gebracht.

H u m b r e c h t. Sie sind also der Herr Fiskal?

F i s k a l. Der bin ich; – ich schickte vorher –

H u m b r e c h t. O mein Herr Fiskal; sie verzei-[94]
hen – sie könnens einem rechtschaffenen Bürgersmann
5   nicht übel nehmen, wenn er die Ehr hat sie nicht zu
kennen; es ist, dächt ich, immer ein gutes Zeichen,
wenn man mit der hochlöblichen Polizey nit viel zu
schaffen hat –

F i s k a l. Keine Komplimenten, mein Freund! es steht
10   euch gar nicht –

H u m b r e c h t. Ich heiß Martin Humbrecht, Metzger
und Burger allhier, und für mein Geld, das ich der
Stadt abgeben muß, heißt mich Ihre Gnaden, der Herr
Ammeister selbst *Er*.

15   F i s k a l. Ich versteh schon, Herr Humbrecht; *Er*, *Sie*,
mir gilts gleich. – Ich schickte vorher den Mann zu
ihnen – er ist ein Diener der Polizey, wenn sie es noch
nicht wissen, und wer ihn beleidigt, der greift das
ganze Amt an, doch davon sollen sie schon sonst wo
20   Red und Antwort geben. – Jetzt kam ich nur im Vorbeygehn zu hören, ob sie eine gewisse Dose, die ihnen
der Mann vorzeigte, für die ihrige agnosciren? –

H u m b r e c h t. Ich weiß kein Wort von Dosen; – hat
er mir eine Dose gewiesen? – da muß ich blind ge-
25   wesen seyn.

F a u s t h a m m e r. Jo! vor Zorn; min Buckel hats
empfunden.

F r. H u m b r e c h t. Ja, Martin, da ist sie: – sie lag da
auf der Erde. *(will sie ihm hingeben.)*

30   H u m b r e c h t. Die? das ist ja die Deine: – wie käm
denn die hochlöbliche Polizey dazu?

F r. H u m b r e c h t. Ich verlohr sie –

[95] F i s k a l. Unter diesem Schein ließen sie sie wenigstens ausrufen.

35   F r. H u m b r e c h t. Und der Mann da hat sie vermuthlich gefunden? – das versprochene Trinkgeld –
(sucht in der Tasche.)

14 *Ammeister:* In der Straßburger Stadtverwaltung die sechs ober-
sten Rats- und Zunftvertreter.
22 *agnosciren:* Wiedererkennen.

F i s k a l. Nein, *er* nicht, Frau Humbrecht! ich eher; das
Trinkgeld spahren sie also. Nun wär ich zwar freilich
nicht schuldig zu sagen, wie ich sie ans Tageslicht gebracht; damit sie mich aber nicht etwa für einen
Hexenmeister halten, will ich ihnen gestehn, wies zu-   5
gieng. – Mein Amt brings mit sich, daß ich Augen
und Ohren allerwärts haben muß, da hört ich nun
auch eben diese Dose ausrufen; ich notirte mir, wie ich
mehr thue, die Kennzeichen, und da wir vor einigen
Tagen bey einem schlechten Weibsbild, das sich über   10
den Rhein machen wollte, unter andern Sachen auch
die Dose fanden, so schickte ich nach dem Ausschreyer,
und nahm seine Aussage, wem sie zugehört, ad proto-
collum; noch war nöthig, daß sie sie agnoscirten, das
ist nun geschehn, und jetzt bitt ich mir sie wieder zu-   15
rück aus –
F r. H u m b r e c h t. Wie so! ist sie nicht mein?
F i s k a l. Gewesen, ja! Jetzt aber gehört sie zum corpus
delicti und muß bis zum Endspruch in den Händen
der Gerechtigkeit deponirt bleiben. Wollen sie denn   20
die Unkosten pro rata bezahlen, so können sie sie wieder kriegen. – *(Frau Humbrecht giebt sie ihm wieder.)*
Indessen kann ich ihnen im Vertrauen sagen, sie haben
sie nicht ver-[96]lohren, sie ist ihnen gestohlen worden. – Das Mensch hat schon alles bekennt. –   25
H u m b r e c h t. Gestohlen! wo? – von wem?
F i s k a l. In einem gewissen Haus, wo die Madam vermuthlich nicht gern wollen gewesen seyn.
H u m b r e c h t. Wieder was neues! – Frau, willst du
reden – sag! wo kam sie dir weg?   30
F r. H u m b r e c h t. Und wenn ich gerädert sollt wer-
den, so kann ich nichts anders sagen, als daß ich sie
auf dem Ball muß verlohren haben.
F i s k a l. Gehn sie lieber mit der Sprach heraus, Frau
Humbrecht, der Herr Liebste erfährt es doch. – Im   35
gelben Kreutz – wissen sie –
H u m b r e c h t. Was in *dem* Bordel –
F i s k a l. Pfui! da wird ihre Frau doch nicht früh-
stücken.
F r. H u m b r e c h t *(betroffen.)* Frühstücken! ja wir   40

haben gefrühstückt; – wo, weiß ich nicht. – Der Leutenant versicherte mir aber, wir wären in einem honnet-
ten Haus. –

F i s k a l. Und gab ihnen, in aller Honettete, einen
5 Schlaftrunk.

H u m b r e c h t *(beißt die Zähn übereinander.)* Der
Herr Beelzebub und seine lebendige Großmutter! –
Bestie! den Hals dreh ich dir um – *(will auf sie los,
Fiskal tritt dazwischen.)* Jetzt gehn mir auf einmal
10 die Augen auf: hats mir doch immer vom Teufel ge-
träumt! – der verfluchte Ball! – Be-[97]stie, vermale-
deyte Bestie! hast deine Tochter zur Hure gemacht! –

F r. H u m b r e c h t *(schluchzend.)* Ich! der allmächtige
Gott weiß, daß ich so unschuldig bin, als das Kind in
15 Mutterleib. –

L i s s e l *(kommt hastig herein.)* Ich kann sie nirgends
– – *(da sie den Fiskal erblickt, wird sie ganz bestürzt;
will wieder zurück, auf einmal lauft sie hervor und
fällt vor dem Herr Humbrecht auf die Kniee; wei-*
20 *nend)* Ach, meine guldne, herzallerliebste Herrschaft!
ich bitt sie um Gottswillen, – ich will ja gern alles gestehn, alles sagen – nur lassen sie mich nit ins Raspel-
hus führen –

H u m b r e c h t *(tritt nach ihr.)* Geh an Galgen!

25 L i s s e l. Ach du lieber Himmel! bedenken sie doch, so
ein junges Blut, wie *ich* bin –

H u m b r e c h t. Was willst du? hat dich deine Mutter
ins Hurenhaus geführt?

L i s s e l. Ach nein! so gottsvergessen ist sie nicht.

30 H u m b r e c h t. Hörsts, Frau Humbrechtin! hörsts! –
Ein schöns Liedchen! – will dirs noch oft vorsingen.

F r. H u m b r e c h t *(schlägt die Händ über dem Kopf
zusammen, will reden, verstummt, und geht ab.)*

F i s k a l *(der seither mit den Fausthämmern heimlich*
35 *gesprochen, zu Lissel.)* Entweder sagt jetzt gleich alles,
was ihr von der Sache wißt, oder die Männer hier
bringen euch an einen Ort, wo man schon Mittel finden wird, euch schwätzen zu machen.

L i s s e l. Ach, mein allergnädigster liebreicher Herr
40 [98] Fiskal! ich weiß nichts, gar nichts; als daß sie heut

in aller Früh sich die Zöpf aufmachte, ein Bunne rung
aufsetzte und fortgieng; und da gab sie mir ihren
Mantel, ihren taftenen, und sagt, ich sollt ihn mir auf-
heben, bis sie wiederkäm, das sagt sie mir dreymal mit
den nemlichen Worten, und da mußt ich ihr meinen   5
baumwollenen geben; da gieng sie fort, und da kehrt
sie sich unter der Thür noch einmal um und sagte,
Lissel! bis ich wiederkomm. Ich will des Todes seyn,
wenns nit wahr ist! – Jetzt haben sie Barmherzigkeit
mit mir, mein allerliebster Herr Fiskal! sonst weiß ich   10
nichts mehr, als daß ich den Mantel in meine Küst gelegt habe, wie sie michs geheißen hat; Gott muß mein
Zeuge seyn, daß ich ihn nit gestohlen habe; – wenn sie
mich foltern, so weiß ich jetzt kein stumpicht Wört-
chen mehr.   15

F i s k a l. Wer ist denn die *Sie?*

L i s s e l. Wer? – ey unsre Jungfer! die Jungfer Ev!

H u m b r e c h t. Du Jungfer und der Teufel! – Die
Hure, Herr Fiskal, hat Lunden gerochen, und ist heut
morgen davon geloffen. – *(bewegt.)* Wenn sie der   20
Teufel nur nicht reitet, daß sie sich gar – Das gäb eine
schöne Himmelfahrt!

F i s k a l. Dem muß man zuvorkommen! – Männer, ihr
wißt eure Schuldigkeit! *(Fausthämmer wollen abgehn.)*
Halt! noch eins, wie sieht ihr baumwollner Mantel   25
aus?

[99] L i s s e l. Brauner Boden, roth und grün gestrieft,
mit gelben Blumen.

F i s k a l. Jetzt. *(Fausthämmer im Abgehn.)*

1. F a u s t h a m m e r. Gott lob! do gitts doch widder   30
a paar sechs schilli Bießlä ze verdienä!

2. F a u s t h a m m e r. Vergiß jetzt widder d' Kunsign,
häschts ghört!

1. F a u s t h a m m e r. Dreck uf dien Nas. I waiß gewiß nimmi? – a bunne rung, unn a Mantel mit brunem   35
Bodä, unn – unn – o 's ist mer zinn I seh sie schunn. *(ab.)*

---

1 *Bunne rung:* Frz. bonnet rond, s. zu S. 55, Z. 3 f.

31 *Bießlä:* Kleines Geldstück; aus frz. pièce und dem dt. Suffix
-lein gebildet.

32 *Kunsign:* Kennzeichen.

F i s k a l. *(mittlerweil zu Humbrecht.)* Herr Humbrecht!
sie sind ein hitziger wilder Kopf! hüten sie sich und
machen sie keine halsbrechende Arbeit: – so viel zur
Warnung! *(im Abgehn.)* – Euch junge Magd rath ich
5 ja ehrlich zu bleiben; zur armen Sünderinn seyd ihr
von Haus aus verdorben. *(ab, Lissel mit: Humbrecht
fällt wie betäubt auf einen Stuhl, die Händ auf den
Tisch, den Kopf drauf. – Der Vorhang fällt.)*

[100] Sechster Akt.

10 *(Zimmer der Frau Marthan, im Hintergrund ein armseliges Bett ohne Vorhäng: F r a u   M a r t h a n biegelt,
und legt Stück vor Stück, wie sies fertig bringt, in einem
Korb zusammen; E v c h e n sitzt am Bette, hat ihr
Kind auf dem Arm, es schreyt.)*

15 E v c h e n. Armes, armes Kind! – nein länger ertrag ichs
nicht. – *(legts aufs Bett.)* O liebe Frau Marthan! – ich
bitt sie um Gottswillen, nur ein einziges halbes Weiß-
brod, nur ein Viertel! schaff sie mir, und ein paar
Löffel Milch, daß ich dem unschuldigen Tröpfchen ein
20 Bißel Brey koche.
F r. M a r t h a n. Woher nehmen und nicht stehlen?
wenn sie mich auf den Kopf stellt, so fällt kein Heller
heraus – Sie weiß ja selbst, daß ich heut meine letzten
Pfennige zusammengescharrt hab, um das Laibchen
25 Kommißbrod zu kaufen.
E v c h e n. Heyland der Welt! – so solls denn ver-
schmachten!
F r. M a r t h a n. Gib sie ihm zu trinken.
E v c h e n. Wenn ich was hätte! – es ist alles vertrock-
30 net, kein Tropfen herauszupressen! mein Kummer hat
alles aufgezehrt. – *(geht vom Bett weg.)* Kann den
Jammer nicht ansehn, sonst werd ich noch rasend.
[101] F r. M a r t h a n. Behüt und bewahre! da käm sie
ja ins Tollhaus! – weiß sie was, Jungfer –

E v c h e n. Spricht sie mit mir, Frau Marthan?

F r. M a r t h a n. Mit wem sonst? – Soll ich sie etwa nit
Jungfer heißen? Kurios! – gehn so viele vornehme
und geringe in der Stadt herum, die schon drey, vier
so Puppelchen in der Kost haben, thäten einem die   5
Augen auskratzen, oder gar einen Jurienprozeß an
Hals hängen, wenn man sie nit hinten und vornen
Jungfern hieß! – Ich glaub aber, Gott verzeih mirs, sie
ist gar nit wie ander Leut. – Was geschehn ist, ist geschehn, da hilft kein Greinen und kein Jammern! und   10
ein Kind, so denk ich, ist doch immer besser als ein
Kalb: – kann sie nicht gleich wieder einen Platz als
Stubenmädchen bekommen, so will ich sie als Säugamm rekummediren –

E v c h e n. Hätt ich Milch für *den* Wurm!   15

F r. M a r t h a n. Wie ists möglich? wo soll sie herkommen? seit den fünf Wochen, daß sie bey mir ist, hat
sie, Gott verzeih mirs! glaub ich, ein Ohm Wasser zu
den Augen heraus geweint; und darnach, wenn man
nichts ißt und trinkt – ich will doch wärli nit hoffen,   20
daß es ihr etwa nit gut genug ist? – wer's Geringe nit
will, ists Gute nit werth: – gelt! den Teller voll
Fleischsuppe, den ich ihr vorgestern Abends hinstellte,
weil ich gestern im Taglohn wäschen mußt, warum hat
sie ihn nicht gewärmt und gegessen? Gott weiß, ich   25
[102] hab ihn an meinem eigenen Maul erspart! – sie
war so kräftig, es hätt sich ein Prinz daran erlaben
können! ein ganz Pfund vom besten Kuhfleisch und
zwey Kalbsfüß! – aber nein, da ließ sie sie verderben,
heut mußt ich sie der Katz hinstellen. – Ist das nit   30
sündlich? heißt das nit an seinem eignen Leib zum
Mörder werden, und kann sie das verantworten? *(geht
hinaus einen heißen Stahl zu hohlen.)*

E v c h e n. Ha! verantworten, das ist die Sache! – wäre
das nicht, nicht die Furcht ewig, ewig – schon längst   35
wär meines Gebeins nicht mehr. *(Frau Marthan kommt
wieder.)* Sie soll vollkommen Recht haben, Frau Marthan! ganz recht; aber denk sie sich an meinen Platz;

18 *Ohm:* Flüssigkeitsmaß.

betracht sie das arme Würmchen hier; von Gott und
der Welt verlaßen –

F r. M a r t h a n. Das sag sie nicht, ja nicht! sie versün-
digt sich wieder. – Gott hat noch niemand verlassen,
5 er wird an ihr und an ihrem Kind nicht anfangen;
und ich will ja gern alles thun, was ich thun kann; –
wie gesagt, so bald die Frau Funfzehnerinn ins Kind-
bett kommt, will ich sie als Säugamm hinbringen. –
Ich gelt was bey ihr, das kann ich wohl sagen. (*Das*
10 *Kind schreyt wieder.*)

E v c h e n (*läuft ans Bett.*) Gottes Barmherzigkeit, es
schreyt sich vor Hunger noch zu Tode. (*nimmts auf*
den Arm, und wiegts.)

F r. M a r t h a n. So! das ist recht! such sies [103] ein
15 wenig zu geschweigen; so bald ich mit der Wäsch fertig bin, will ich sie wegtragen, vielleicht krieg ich ein
paar Schilling. – Aber alles was sie thut, huck sie mir
nit immer so über sich selber; der bös Gott bhüt uns,
könnt gar leicht sein Spiel haben: nimm sie ein Gebet-
20 buch und leß sie hübsch drinn, sie sagt ja sie könnts;
dort auf dem Tresurchen steht der Himmels- und Höllenweg; 's ist gar schön, sag ich ihr: mein Mann seelig
hat ihn in seiner letzten Krankheit fast auswendig gelernt. – Bey wem hat sie denn zuletzt gedient, eh ihr
25 das Unglück begegnet ist? – Ich sag immer, es ist aber
doch nicht recht von den Herrschaften, die einen armen Dienstboten, wenn er in *den* Umständen ist, so
mir nix dir nix zum Haus hinauswerfen, wir sind alle
sündliche Menschen; wie bald kann nit ein Unglück
30 geschehn, und dann hats der Herr oder die Frau doch
auch aufm Gewissen. – Bey wem wars, hört sie nit
nicht? –

E v c h e n. Bey wem? (*verwirrt.*) beym – beym – sie
kennt ihn doch nicht.

35 F r. M a r t h a n. Wer weiß? sag sies nur; – über mein
Zung solls nit kommen.

E v c h e n. Beym – beym Metzger Humbrecht.

21 f. *Himmels- und Höllenweg:* Unbekanntes Werk; ähnliche Titel
finden sich häufig in der Erbauungsliteratur des Hochbarock und des
Pietismus.

Fr. Marthan. Bey dem! was! beym Metzger Humbrecht? – ey! was sie mir nit sagt da – so muß sie denn auch seine Tochter kennen, gelt?

Evchen. Zu gut nur, leider!

Fr. Marthan. Ja wohl leider! – man soll zwar niemand richten, aber – es muß doch kein [104] guter Blutstropfen in ihr gewesen seyn, sonst hätt sie das nit gethan! – gestern auf der Britsch ist ein langes und ein breites davon erzählt worden. – Wenn ein Weibsbild sich so weit verleiten läßt, daß sie gar in Burdels geht –

Evchen. Was sagt sie! Gott! sie wär in ein Bordel gegangen?

Fr. Marthan. Ja, ja! – ihr wird sies freilich nit auf die Nas gebunden haben – mit einem Uffezier ist sie 'neingangen, und die Mutter mit, das ist noch die schönste Zier; die ganze Stadt ist voll davon, man hat mir auch das Haus genennt, habs aber wieder vergessen; – und da hat sie und der Uffezier der Mutter etwas zu trinken gegeben, daß sie einschlief. Warum sies gethan haben, ist leicht zu denken. – Und da soll ihr der Mußie die Eh versprochen haben; – wie aber die Herren sind, ein ander Städtel ein ander Mädel! – jetzt blaßt er ihr was, und da hat sie sich ins Wasser gestürzt – gestern früh hat man sie in der Wanzenau gefunden.

Evchen. Ersäuft! ha! wenns doch wahr wäre!

Fr. Marthan. 'S ist leider! nur zu wahr; – wie ich ihr sage; ich wollt, es wäre nicht!

Evchen. Warum? so wär sie doch der Quaal nun los.

Fr. Marthan. Sie redt, glaub ich, auch, und – weiß nit was? Es hat sich wohl – der Quaal los! ja prosit d' Mahlzitt! – Und nur vom [105] Schimpf zu reden, wenn sie sie heut oder morgen hereinbringen – ich geh ihr doch auch zu gefallen, 's soll ein bildschön Mädel seyn – wer weiß! wer weiß! ob sie unsre gnädige Obrigkeit nit, den andern zum Exempel, gar durch die Stadt schleifen läßt; wie den Muttermörder, der sich vor ein Jahrer zwey oder drey im Thurn selbst erhenkt hat, auch.

E v c h e n. Muttermörder! gibts Muttermörder?

F r. M a r t h a n. Obs ihrer gibt? wie das gefragt ist! –
Weiß sie denn nit mehr, der Kerl, wie hieß er doch?
der seiner Mutter die Gurgel wollt abschneiden –

5 E v c h e n. Ja, ja! ich besinn mich; – seine Mutter war
eine Hure, er ein Bastert, im Bordel gezeugt, das warf
ihm einer im Trunk vor, da gab er seiner Mutter den
Lohn, der ihr gebührte; – ich erinner michs gar wohl.

F r. M a r t h a n. Bey Leibe nicht! – sie ist ganz irr dran
10 – er wollte Geld von ihr haben.

E v c h e n. Recht! recht! – er hatte Hunger und Durst;
wollte sich einen Milchweck kaufen und ein Glas Bier
dazu, die Mutter konnts ihm nicht geben, da wollt er
ihr das Geld aus den Rippen schneiden, – und das
15 ward ihm versalzen!

F r. M a r t h a n. Ist sie närrisch? – bald förcht ich mich
allein bey ihr zu bleiben. – – Ich wills ihr besser sagen,
wies zugieng: er war von Jugend auf ein böser Bub,
verthat seiner Mutter viel Geld, sie war eine kreutz-
20 brave Frau, ich hab ihr zehn Jahr wäschen helfen, bis
mich die Anne [106] Mey ausbiß, wie das zugieng, das
will ich ihr ein andermal erzählen, es gieng um einen
lumpichten mußlinenen Halsstrich an, der mir beym
Ausschwenken davon schwamm – da gieng er nun
25 unter die Kayserlichen, und von da, denk ein Seelen-
Mensch! – gar unter die Preußen; disertirte aber auch
da, und kam wieder heim. – Da triblirte er nun seine
Mutter so lang, bis sie ihm endlich von Obrigkeits-
wegen das Haus verbieten ließ, denn er hat sie mehr
30 als einmal wie einen Hund durchgeprügelt: – Damit
war denn alles gut ein paar Wochen lang, da kam er
einmal 's morgens früh wieder, und gab die besten
Worte, versprach recht ordentlich zu seyn, und kurz,
er bat wieder um gut Wetter. – Sein Mutter, die sich
35 nichts bös träumen ließ, fing an die bittern Thränen
zu weinen, und greift in Sack und gibt ihm einen ganzen kleinen Thaler – 's ist viel Geld schon, ich verdien
in vier Tagen manchmal so viel nit! – Drauf schickt

27 *tribliren:* Plagen.

er – weis nit mehr, was er für einen Pretex nahm, die
Magd fort; und, kaum daß er allein war, fällt er mit
einem Scheermesser über sein Mutter her, und will ihr
den Hals abschneiden; – *die* wehrte sich denn um ihr
Leben, wie sie leicht denken kann, so gut als möglich,   5
schrie was sie schreyen konnt, und bekam zwey Schnitt
in die Hand, und einen – aber nit gefährlich – in die
Gurgel. – Drüber liefen die Hausleut hinzu, und zeig-
ten denn, wie nit mehr als billig ist, die schöne Geschichte halt an. – [107] Und sieht sie, was ihm noch   10
am meisten den Hals gebrochen hat, war, daß er das
Scheermesser, damit es nit zurückschnappen sollt, hinten am Stiel mit Bindfaden zusammen gebunden
hatte. – Wie er denn nun trapirt war, und alles ein-
gestanden hatte, und wies schon drauf und dran war,   15
daß ihm sein Urtheil sollt gesprochen und sein Recht
angethan werden, so ließ er sich zwey Tag vorher
noch gar vom Satan, Gott sey bey uns! blenden, und
that sich im Thurn mit eigner Hand ein Leids an. –
Da gings ihm dann wie ich gesagt habe. – Sein Vetter,   20
der Rathsherr, ein grundreicher Mann dort in der langen Straß, hätt tausend Thaler darum gegeben, wenn
ers dahin hätt bringen können, daß er in der Still wär
begraben worden. So mußt er aber den Spektakel
selbst mit ansehn, wie er vor dem Haus durch den   25
Schinder vorbeygeschleift wurde. Der Kopf plozte
hinten auf den Steinen auf, daß mans nit mit ansehn
konnte. – Es war greulich, wie ich ihr sage. – Aber so
Leuten geschichts ganz recht, warum beten sie nicht?
– – *(mit vielbedeutender Miene.)* Ich förcht, ich förcht,   30
es möcht ihrer Mamsell, bey der sie war, auch nicht
besser gehn. Sie ist so gut eine Muttermörderinn, als –
E v c h e n *(die während obiger Erzählung, wie sinnlos
auf dem Bett saß, und nur ihr Kind ansturte, auf-
fahrend.)* Muttermörderinn! – *ich* eine Muttermörde-   35
rinn?
F r. M a r t h a n. *Sie!* wer sagt denn von ihr? [108] von

---

14 *trapiren:* Gefangennehmen.
26 f. *aufplozen:* Aufschlagen.

ihrer gewesenen Jungfer, von's Humbrecht seiner
Tochter red ich.

E v c h e n. Nun, ist denn die es?

F r. M a r t h a n. Sie ists, und ists nicht. – Freilich die
5　Gurgel selbst hat sie ihr nicht abgeschnitten, aber – das
Messer nah genug doch dran gesetzt. – Hätt sie sich in
der Ordnung aufgeführt, so wär ihre Mutter nicht vor
lauter Schagrin gestorben –

E v c h e n. Meine Mutter! gestorben! – und ich schuld
10　dran. *(sinkt in die Kniee, und fällt zur Erden, Frau
Marthan lauft ihr zu Hülf.)*

F r. M a r t h a n. Barmherziger Gott! was soll *das* denn
seyn? das Mensch macht mir angst und bang. – *(setzt
sie wieder aufs Bett.)* – Wer sagt denn von *ihr*, oder
15　von *ihrer* Mutter? – bald hätt ich Lust sie in Spital
tragen zu lassen, eh sie mir noch einmal so einen
Schrecken einjagt. Bin, Gott weiß es! ganz vergellstert.
– Wie oft soll ichs ihr noch sagen, daß ich von Humbrechts Mädel red und nit von *ihr*? – *Deren* ihr Mutter
20　ist gestern begraben worden, nicht *ihre*, die kenn ich ja
nit, weiß ja noch nit einmal, wo sie her ist. – Der
Vater, der Metzger, hat hundert Thaler versprochen,
wer ihm Nachricht von seiner Tochter bringt. Ein
schönes Geld! das kriegen die Schiffischen jetzt, die sie
25　gefunden haben. –

E v c h e n *(stuzt, denkt eine kleine Weile bey sich selbst
nach.)* Wollt sie dies Geld wohl verdienen, Frau Marthan? – könnts ihr wohl was helfen? – [109] hundert
Thaler! er ist auch sehr geizig, warum nicht fünf, sechs-
30　hundert! – da könnt ich doch etwas zu ihrem Glück
beytragen, Frau Marthan! – geizig, sagt ich! habs auch
Ursache, fürwahr! bin ich doch keine –

F r. M a r t h a n. Schon wieder *ich*!

E v c h e n. Ja, ja! *Ich – Ich!* ich bin die Muttermör-
35　derinn, die keinen guten Blutstropfen in sich hat, die
sich im Bordel herumwälzte, die von einem Ehrenschänder sich hintergehn ließ, die hier ein säugendes

---

17 *vergellstern*: Behexen (ursprünglich mit der Wirkung der Un-
fruchtbarkeit).

Kind hat, das kaum gebohren schon Vater- und Mut-
terloß ist, – denn wenn ich Mutter wär, müßt ichs auch
nähren können, das kann ich nicht. – *Ich* bins, die, die
– kurz, *ich* bin des Humbrechts eigne Tochter; die,
wie sie sagte, sich ersäuft soll haben: – sie sieht, es ist   5
eine Lüge, wollt daß andre wär auch eine; 's ist aber
leider! nur zu wahr. – Was mich freut, ist, daß ich
jetzt ein Mittel weiß euch die viele Müh, die ich euch
gemacht habe, wenigstens zum Theil zu vergelten. –
Geh sie so gleich zu meinem Vater, Frau Marthan,   10
sag sie nur, *ich*, die Eve schickte sie, er sollte ihr die
hundert Thaler auszahlen. – Es wird ihm wenig Freud
machen – aber – geh sie, Frau Marthan, geh sie gleich –

Fr. Marthan. Ach, du lieber Herr Gott! nein! das
hab ich wärli nit um sie verdient, – so gut und so un-   15
glücklich – verzeih sie mir ja alles, was [110] ich da
sagte – ganz gewiß ist sie verführt worden – sonst
wär sie nie –

Evchen. Das bin ich, bin verführt, übertölpelt worden, da ich mirs am wenigsten dachte. Sie hats ja selbst   20
erzählt; das Ersäufen ausgenommen, ist alles wahr,
alles! nur muß ich ihr noch sagen, daß ich nicht wußte,
daß wir in einem so schönen Hauß waren, noch weniger hab ich am Schlaftrunk Antheil gehabt. – Diese
zwey Umstände, die ich von ihr erfahren, zeigen mir   25
die ganze schwarze Seele des Niederträchtigen, der
mich so tief herabsetzte. – Noch blieb mir immer wenigstens ein Schatten von Hofnung übrig, nun ist auch
der verschwunden, und mit ihm alles – nun kann ich
nichts mehr, als – *(stokt, sieht mitleidsvoll ihr Kind an.)*   30

Fr. Marthan. O sie kann noch glücklicher wieder
werden; vielleicht kommt er doch wieder, wo sie sichs
gar nicht vermuthet.

Evchen. Wieder! – Er sollte wiederkommen! Frau
Marthan, sieht sies, ich bin nur ein Weibsbild, aber –   35
wenn er wiederkommt, mir wieder unter die Augen
tritt, so stoß ich ihm mit der einen Hand diesen Brief
hier, sieht sie – *(zieht ihn aus der Tasche.)* unter die
Nase, und mit der andern bohr ich ihm ein Brodmesser
ins Herz. – Er hats um mich verdient! – vorher hab   40

ich ihn *(auf den Brief deutend, und ihn wieder ein-
steckend)* nicht ganz verstanden; sie hat mir erst die
Augen [111] geöfnet. – Jetzt geh sie, Frau Marthan!
geh sie! ich bitt sie darum.

5 Fr. Marthan. Hundert Thaler wär mir freilich ein
schönes Kapetal; hab mein Lebtag nit so viel beysam-
men gehabt, aber ich thät mich Sünd förchten, sie jetzt
allein zu lassen.

Evchen. Warum, Liebe? – Seh ich vielleicht etwas er-
10 hitzt, etwas aufgebracht aus? – Das thut es mir zu
zeiten, wenn ich an den Treulosen denk; 's ist aber
gleich wieder vorbey, nur ein Übergang – jetzt bin
ich schon ganz gelaßen wieder – nur ein bischen
schwach – geh sie, sag sie meinem Vater, ich lebte noch,
15 morgen sollt er mehr von mir hören: – wenn er ihr
Geld gibt, bring sie was fürs Kind mit, es kann kaum
mehr schreyn, so matt ists; – geh sie, geh sie! jeder
Augenblick ist mir jetzt theuer –

Fr. Marthan. Na denn, dem armen Kind zu gefallen
20 will ich geschwind hinten herum springen; in weniger
als nichts bin ich wieder zurück, und bring ihm ein
Stück Zuckerdorsch mit.

Evchen. Das thu sie, Frau Marthan: komm sie ja
bald wieder, sonst möchts zu spät seyn.

25 Fr. Marthan *(im Abgehn.)* Zu spät? –

Evchen. Es wird ja so schon dunkel – *(Frau Marthan
vollends ab.)* – mir vor den Augen! war mirs schon
lang. – Fast war mir bang, ich brächte sie mir nicht
vom Hals. – Ja! was *wollt* ich doch? – warum schickt
30 ich sie aus. – Mein armes bischen Verstand hat, glaub
ich, vol-[112]lends den Herzstoß bekommen! – *(das
Kind schreyt wieder.)* Singst du? singst? singst unsern
Schwanengesang? – sing, Gröningseckchen! sing! –
Gröningseck! so hieß ja dein Vater; *(nimmts vom Bett
35 wieder auf und liebkosts.)* – Ein böser Vater! der dir
und mir nichts seyn will, gar nichts! und mirs doch so
oft schwur, uns alles zu seyn! – ha! im Bordel so gar es
schwur! – *(zum Kind)* Schreyst? schreyst immer? laß

---

22 *Zuckerdorsch:* Wagner benutzt 1779 dafür »Gerstenzucker«.

mich schreyn, *ich* bin die Hure, die Muttermörderinn;
du bist noch nichts! – ein kleiner Bastert, sonst gar
nichts; – *(mit verbißner Wuth.)* – sollst auch nie werden, was *ich* bin, was *ich* ausstehn, was *ich* ausstehn muß –
*(nimmt eine Stecknadel, und drückt sie dem Kind in   5
Schlaf, das Kind schreyt ärger, es gleichsam zu über-
schreyn singt sie erst sehr laut, hernach immer schwä-
cher.)*

<blockquote>

Eya Pupeya!
Schlaf Kindlein! schlaf wohl!   10
Schlaf ewig wohl!
Ha ha, ha ha! *(wiegts auf dem Arm.)*
De Vater war ein Bösewicht,
Ha deine Mutter zur Hure gemacht;
Eya Pupeya!   15
Schlaf Kindlein! schlaf wohl!
Schlaf ewig wohl!
Ha ha, ha ha!

</blockquote>

Schläfst du, mein Liebchen, schläfst? – wie sanft! bald
beneid ich dich Bastert, so schlafen Engel nur! – Was   20
mein Liedchen nicht konnte! – säng mich [113] doch
auch jemand in Schlaf so! – Ha! ein Blutstropfen! den
muß ich wegküssen, – noch *einer!* – auch *den!* *(küßt
das Kind an dem verwundeten Schlaf.)* – Was ist das?
– süß! sehr süß! aber hinten nach bitter – ha, jetzt   25
merk ichs – Blut meines eignen Kinds! – und das trink
ich? – *(wirfts Kind aufs Bett)* Da schlaf, Gröningseck!
schlaf! schlaf ewig! – bald werd ich auch schlafen –
schwerlich so sanft als du einschlafen, aber wenns *ein-*
mal geschehn ist, ists gleichviel. – *(Man hört jemand.)*   30
Gott! wer kommt? *(sie deckt das Kind zu, setzt sich
daneben, und fällt, da sie ihren Vater kommen sieht,
mit dem Gesicht aufs Kopfküßen.)*

H u m b r e c h t. Wo? wo ist sie, mein Evchen? – meine
Tochter, meine einige Tochter? *(erblickt sie auf dem   35
Bett.)* Ha! bist du da, Hure, bist da? – Hier Alte! dein
Geld! *(wirft einen Sack hin, Fr. Marthan hebt ihn auf
und thut ihn beyseite.)* – Hängst den Kopf wieder?
hasts nicht Ursach, Evchen, 's ist dir alles verziehn,

alles! – *(schüttelt sie.)* Komm! sag ich, komm! wir wollen Nachball halten – – ja, da möcht man sich ja kreut-
zigen und segnen über so ein Aas: wenn der Vater
zankt, so laufts davon, gibt er gute Wort, so ists taub.
5   – *(schüttelt sie noch heftiger.)* Willst reden? oder ich
schlag dir das Hirn ein! –

Fr. M a r t h a n *(reißt ihn zurück.)* Thut er doch, [114]
als wenn er einen Ochsen vor sich hätt! – Kein Wunder, wenn sie die Gichter bekäm. – Kann er nicht
10   ordentlich reden?

H u m b r e c h t. Hast Recht, Alte! vollkommen Recht!
wart! wie mach ichs? *(kniet nieder vor seiner Tochter.)*
Liebs, guts Evchen! hab doch Mitleiden mit deinem
gedemüthigten Vater! verstoß ihn nicht ganz; nimm
15   ihn zu Gnaden wieder auf! – sieh, auf den Knieen
liegt er vor dir und bittet dich. – Hast deine Mutter
vor der Zeit ins Grab gebracht, sey so gut, ich beschwör dich darum, und gib auch mir den letzten Stoß,
mir, deinem Vater –

20 E v c h e n *(die sich auf die letzt langsam aufrichtete,
erblickt neben ihr das Kind, deutet drauf und fällt mit
dem Gesicht wieder aufs Bett.)* Da! da ist er!

Fr. M a r t h a n *(bringt eine angesteckte Lampe, stellt
sie auf den Tisch, geht ans Bett, und deckt das Kind
25   auf, eben so geschwind aber wieder halb zu.)* Du lieber
Herr Gott! was seh ich! das muß ich gleich gehn anzeigen, sonst bin ich verlohren. – In der Seele dauert
sie mich – aber *(lauft ab.)*

H u m b r e c h t *(springt auf.)* Da! was ist da? ein Kind!
30   ha! wies lächelt! – *dein* Kind, Evchen? soll auch *meins*
seyn! *Mein* Bastert, ganz allein *mein*, wer sagt, daß er
dein ist, liebs Evchen! dem will ich das Genick herumdrehn.

M a g i s t e r *(kommt.)* Bald hätt ich das Haus nicht ge-
35   funden. So, Herr Vetter! das ist brav! [115] ich seh,
sie haben meinem Rath gefolgt, und ihrer Tochter verziehen.

H u m b r e c h t. Das hätt ich auch ohn ihn gethan, Vetter! – ein Vater bleibt immer Vater, und ists da oft
40   am meisten, wo ers am wenigsten scheint.

M a g i s t e r. *Jetzt* ist es mir doppelt lieb, sie so dis-
ponirt zu finden; sie sollen gleich erfahren, warum?
Nur muß ich mein Bäschen bitten, auch zuzuhören; es
geht sie am meisten an.

E v c h e n. Mich? – auf dieser Welt geht mich nichts 5
mehr an, Herr Magister! ich schwörs.

H u m b r e c h t. Für nichts, für nichts geschworen, meine
Tochter! – schau! ich schwur auch dir Arm und Bein
entzwey zu schlagen; und jetzt bin ich, Schwur hin,
Schwur her! doch froh, daß ichs nicht gethan habe. 10

M a g i s t e r. So denk ich auch; *ein* Umstand kann viel
ändern. – Hören sie nur! – Sie lieben den Gröningseck,
Bäschen?

E v c h e n. Ja, wie ich den Satan liebe! hab mich vor
beyden gehütet, und von beyden schon anführen laßen. 15

M a g i s t e r. Sie liebten ihn doch ehmals; sonst wären
sie nicht –

E v c h e n. Ja, da wußt ich aber nicht, daß er mich zur
Hure, zur Muttermörderinn – zur –

M a g i s t e r. Das alles war weder sein Vorsatz noch 20
weniger seine Schuld –

[116] **E v c h e n.** So! – sind sie auf einmal sein Advokat? – wie lang wohl noch? Hier *(aufs Kind deutend.)*
liegt meiner.

M a g i s t e r. *Ich* bin sein Advokat nicht allein; ich 25
meyn, ich meyn in ihrem eignen Herzen wird sich noch
einer vorfinden. Kurz zu seyn, Gröningseck liebt sie
noch eben so zärtlich, als je; eine tödtliche Krankheit
hielt ihn ab, auf die bestimmte Zeit einzutreffen – von
dem Brief, den ich ihnen vorgelesen, Herr Vetter! 30
weiß er kein Wort; ich wieß ihm den Umschlag, da
fand sichs, daß es des Lieutenant Hasenpoths Hand
und Siegel ist: Er zeigte mir andre Briefe von dem
nemlichen, die voller Unwahrheiten von Evchen waren: Da er selbst Unrath merkte, machte er sich kaum 35
halb wieder hergestellt auf den Weg. Vor einer Stunde
stieg er im Raben ab, und ließ mich zu sich rufen; –
wir sahn sie in größter Eile vorbeylaufen, muthmaßten die Ursache und giengen ihnen von weitem nach.
– Wollen sie ihn selbst sprechen? – 40

H u m b r e c h t. Wenn er sie heyrathen, ihr die Ehre
wieder geben will, ja! sonst soll er mir, wenn ihm Nas
und Ohren lieb sind, nicht vors Gesicht kommen.

M a g i s t e r. Das will er.

5 E v c h e n. Und wenn er zehnmal will, so wollt *ich* doch
lieber den Scharfrichter sehn.

M a g i s t e r. Er ist aber unschuldig! kanns ihnen beweisen.

[117] E v c h e n. Desto schlimmer! so fällt die Schuld
10 alle auf *mich*. *(steht auf vom Bett.)* Der Brief hier!
(wirft ihn in die Stube.) – Der Teufel hat ihn geschrieben – meine eigne Herzensunruh, die Furcht vor ihm,
mein Vater, der Gedanken, meine Mutter gemordet zu
haben – dies, und o was alles noch mehr! brachte mich
15 in Verzweiflung – ich wollte mir aus der Welt helfen,
und hatte nicht Entschlossenheit genug selbst Hand an
mich zu legen; jetzt mags der – Henker thun! – Mein
Kind ist todt, todt durch mich –

M a g i s t e r. Gott! ists möglich? – *(das Kind betrach-*
20 *tend.)* Wahrhaftig! – Gerechter Gott! wie tief kann
dein Mensch herabstürzen, wenn er einmal den ersten
Fehltritt gethan hat! *(Humbrecht steht mit geschlung-*
nen Ärmen, guckt Evchen, dann das Kind starr an;
Evchen scheint weder zu sehn, noch zu hören; von
25 *Gröningseck stürzt noch im Reisehabit plötzlich her-*
ein.)

E v c h e n. Gott! das fehlte mir noch!

v. G r ö n i n g s e c k. Wie bestürzt alle! wie blaß! – was
ist zu thun hier? – was gibts.

30 H u m b r e c h t. Ein Bißel Arbeit für den Stoffel, sonst
nichts! – Gott! ich meyn, der Münsterthurn läg mir
auf dem Herzen, so schwer fiel mir das auf. – Jetzt
kann ich nur auch Rattenpulver nehmen! – Hier! *(den*
Lieutenant zum Kind führend.) hier! wenn sie ein
35 Vaterherz haben, meins ist geborsten. – Adieu! am
armen Sünder Häußel [118] seh ich dich wieder, Eve!
sag dir das letztemal Adieu!

v. G r ö n i n g s e c k. Wie! Evchen, sanftes Evchen! sie
hätten mit eigner Hand ihr Kind – mein Kind – nicht
40 möglich! –

E v c h e n. Nur zu möglich, mein Herr! – aber eh sie
  mir weitere Vorwürfe machen, lesen sie den Brief dort
  – und dann sollen sie sprechen.

v. G r ö n i n g s e c k *(hebt ihn auf.)* Auch wieder die
  Hand von Hasenpoth! *(sieht nach der Unterschrift.)*
  in meinem Namen! – *(guckt ihn über.)* Das andre
  kann ich mir denken. Wart! Kanaille! mit deinem Blut
  sollst du es abbüßen, noch eh eine Stunde vergeht.
  (will ab, stößt unter der Thür auf den Fiskal; Faust-
  hämmer bleiben an der Thür.)

F i s k a l. Nicht von der Stelle, mein Herr! eh der pro-
  cès verbal aufgesetzt und unterschrieben ist. – *(zu den*
  Fausthämmern.) Hat einer von euch porte chaise und
  Wache bestellt? *(ein Fausthammer ab.)*

v. G r ö n i n g s e c k *(stellt sich wieder zum Magister.)*
  Der niederträchtige, feige Verräther! – Glauben sie jetzt
  bald, Magister, daß es Fälle gibt, wo Selbstrache zur
  Pflicht wird? – *(Magister zuckt die Schultern.)* Wo ist der
  Staat, in dem solche Ungeheuer, solche Hasenpoths, die
  unter der Larve der Freundschaft ganze Familien unglücklich machen, nach Verdienst bestraft werden? – Ha!
  wie will ich mir wohl thun! mit welcher Herzens-[119]
  wonne will ich mich in seinem Blut herumwälzen!

M a g i s t e r. Es wäre menschlicher, glaub ich, wenn sie
  darauf bedacht wären, diese arme Betrogne vom
  Schavott zu retten, als Verbrechen mit Verbrechen zu
  häufen.

F i s k a l. Ja, da rettet sich was! – Das Gesetz, welches
  die Kindermörderinnen zum Schwerdt verdammt, ist
  deutlich, und hat seit vielen Jahren keine Exception
  gelitten; ist nun das Faktum, wie es der Anschein gibt,
  auch klar, so können sie die Müh sparen.

v. G r ö n i n g s e c k. Und ihnen nebst ihrer ganzen kri-
  minalischen Unfühlbarkeit zum Trotz, mein Herr!
  will ich mich heut noch auf den Weg nach Versailles
  machen, bey der gesetzgebenden Macht selbst Gnade
  für sie auszuwürken, oder –

E v c h e n. Gnade für mich! Gröningseck! wo denken
  sie hin? – soll ich zehntausend Tode sterben! – lieber
  heut als morgen.

F i s k a l. Nur halb so hitzig, Herr Lieutenant! freilich!
es kommt vieles auf die Umstände an! – *(Blutschreyer
und Geschworne kommen.)*

E v c h e n. Sagt ich nicht, Gröningseck! mein Schicksal
5 wäre mit Blut geschrieben? –

v. G r ö n i n g s e c k. Es wärs nicht, wenn du mir getraut, deiner Melancholie dich weniger überlassen, etwas mehr an die Tugend geglaubt hättest – oder ich
etwas weniger.

10 [120] M a g i s t e r *(sieht beyde wechselsweis mitleidig
an.)* Sich vor mir so zu verbergen!

H u m b r e c h t *(reißt sich die Westenknöpf alle auf.)*
Die ganze Welt wird mir zu enge! – *(tief Athem hoh-
lend.)* Puuh! – *(klopft dem Lieutenant auf die Schul-*
15 *ter.)* Wenn sie Geld brauchen, mein Herr! Reisegeld!
sie verstehn mich doch? – tausend, zwey, dreytausend
Gulden auch liegen parat zu Hauß! – und zehntausend
gäb ich drum, wenn der Ball mit allen seinen Folgen
beym Teufel wär! –

20 ENDE.

2 *Blutschreyer:* s. zu S. 4, Z. 15.
15 *Reisegeld:* Geld für geheime Ausgaben.

Anhang

[2^r]   Vorrede.

Der Direktor der hiesigen deutschen Schaubühne ist von
5 sehr vielen oft angegangen worden, das *Trauerspiel die
Kindermörderinn* auf seinem Theater zu geben: ungeachtet wiederum viele die Aufführung desselben, so wie
es in Leipzig im Druck erschienen, für unanständig und
unmoralisch halten.

10   In wie weit Beyde Recht und Unrecht haben, könnte
ein genaues Detail dieses Stücks wohl entscheiden.

    Nur müßte man vorher nicht ununtersucht lassen, ob
es nach den allgemeinen und besondern Regeln des grie-
chischen oder französischen Trauerspiels, oder des so ge-
15 nannten historischen Drama zu beurtheilen wäre. Es
würde sich da vermuthlich finden, daß eine Beurtheilung
nach deren Regeln und Voraussetzung hier eben so passe,
als den Reiter nach den Regeln des Tänzers zu loben
oder zu tadeln.

20   [2^v] Man würde also genöthigt seyn, die wesentlichen
Regeln zu der Gattung Schauspiele, wie diese Kindermörderinn ist, erst festzusetzen: und wäre diese Arbeit
glücklich von statten gegangen, so würde man wohl nicht
leugnen können, daß sie zwar der Phantasie des Dichters
25 sehr behaglich; aber Lesern und Zuschauern desto un-
wichtiger wäre.

    Gleichwohl kann man unmöglich diese Kindermörde-
rinn unter die uninteressanten Stücke rechnen. Man
müßte also zeigen, daß ein vortrefflicher Kopf allzeit
30 etwas bessers, auch nach einer sehr schlechten Form her-
vorbringt, als ein seichter Kopf nach der besten, die er
sich niemals selbst denkt, sondern nach der er blindlings
arbeitet, welches er oft, um sich auf eine erbare Art eine

Schmeicheley zu sagen, feinen Geschmack nennt. Man
würde auch nicht zu erinnern vergessen müssen, daß die
Neuheit einer Sache oft das Angenehmere und Bessere
dessen, was wir so zu sagen alle Tage haben, überwiege.

[3ʳ] Allein in unsern kritischen Zeiten sind Unter-   5
suchungen dieser Art die allerunwillkommensten. Die
Abneigung gründlich zu prüfen, und hierinn den Psychologisten zu hören, herrscht jezt gleichstark mit der Sucht
zu kritisiren. Dieß ist zwar der offenbarste Widerspruch;
aber leider! mag er nicht der einzige seyn.   10

Wir haben jezt so mancherley Stücke, worinne so viele
Schönheiten sind, obgleich das Ganze und der Ton derselben überhaupt verwerflich ist. Sie verdienen, zum
Theil sage ich, gewiß die Untersuchung und Zurechtwei-
sung eines Philosophen. Ja, sagt man, die Verfasser wol-   15
len dergleichen Untersuchungen nicht; und würden sich
auch nicht daran kehren. – Alle? Woher weiß man das?
Und wenn sie sich daran auch nicht kehrten, ist denn
sonst niemand in der Welt? Diese alle freylich würden
es nicht gerne sehn, welche zu einem bessern Werke, als   20
ihre erste Schriftstellergeburt war, sich nicht fähig fühlten; aber die übrigen andern alle gewiß! Nur müste man
diese Verfasser nicht mit dem [3ᵛ] stolzen Schulmeister-
blicke, noch mit dem selbst zufriednen Hohngelächter in
kurzen Anzeigen, wie es jezt Mode geworden, wie einem   25
armen Studenten, den Kammermädchen und gnädige
Frau zum Hofmeister untüchtig halten, kaltblütig oder
gar verächtlich abweisen. Wenn dem Philosophen einige
Willkührlichkeiten, oder wenigstens Forderungen, die an
und für sich gerecht, aber wider, oder über die besondere   30
Beschaffenheit der Seelenkräfte dieses oder jenes Dichters wären, mitten unter seinen gründlichen Betrachtun-
gen entschlüpften, so müßten nicht kritische Nachbeter
kommen, und auf eines so gut dringen wollen, als auf
das andere.   35

Es ist nicht zu viel gesagt, daß keine Recension die
über das Stück *Götz von Berlichingen* an, bis auf den
Simsone Grisaldo, erschienen, wo man diese ganze Gat-

38 *Simsone Grisaldo:* Drama Klingers (1776).

tung oder ein Stück davon, mit einem psychologischen
Auge beschaut hätte. Alles, was die Kunstrichter sagen,
sind solche Lappereyen von Bemerkungen, die man vom
ersten besten Zuschauer zwischen Akten am [4^r] Punsch-
5 nappe hören kann. Will man sie da berichtigen, recht
gut! Aber dergleichen zu drucken, und stolz darauf
zu seyn, oder sich gar einzubilden, man habe alles gethan, was man thun kann, um diese zügelfreye Schriftsteller auf den rechten Weg zu führen, heißt doch seine
10 armseelige Kurzsichtigkeit verrathen. Oder ist man völlig überzeugt daß der fleißig lesende Theil der am wenigsten denkende ist?

Aber unsre guten Philosophen haben vielleicht, alle
Hofnung von dem deutschen Theater aufgegeben. War-
15 um sollten sie Zeit und Denken darauf verschwenden,
da sie jezt wichtigere Vorwürfe haben. Physiognomik,
wo das schöne Gesichtchen Tugend, und das häßliche
Laster heißt; Gaßnerische und Schröpferische Alvanze-
reyen, mit denen so viel alte Weiber in Staatsperucken
20 und seidenen Westchen genarrt worden, und noch genarrt werden; Erziehungsanstalten, wo auch der Bube,
der von Natur zum Gänsehüten bestimmt ist, doch noch
zum Staatsminister gebildet werden soll; oder wo [4^v]
das Knäbchen im zehnten Jahre so fertig zu plaudern
25 gelehrt wird, als ein Knäbchen von vierzig Jahren.

Wenn es so ist, so muß man sich an denen schon begnügen, die jezt für unser Theater arbeiten, und urtheilen.

Einige spotten der nothwendigen Regeln welche aus
der Beschaffenheit des zu behandelnden Stofs und uns-
30 rer menschlichen Seele fließen, eben so wie der willkühr-
lichen, die bloß auf altem Herkommen ruhen. Sie reden
nur immer von Urkraft und Genie, meynen im Grunde
aber damit weiter nichts, als daß ein Mann von starker
Empfindung und Einbildungskraft alles hin schreiben
35 und drucken lassen soll, was ihm Hitze und Laune ein-
geben. Gleichsam als wenn die übrigen Menschen von
wenigerm Gefühl und weniger Einbildungskraft nur da
wären, alles zu bewundern, was so genannte Genies zu
rasen belieben; weil jene auf alle Fälle so stark doch
40 nicht rasen können, als Genies. Oder als wenn Genies

nicht mit unter sehr plattes, elendes und unrichtiges Zeug
aushecken. Oder [5ʳ] muß man dieß nothwendig mit anhören; so wie man vom Metzger nothwendig Zulage
mitnehmen muß? Die Fruchtbarkeit dieser Genies, die
ohne Regeln es nur seyn können, gleicht einem Boden,   5
auf dem gutes Getreyde mit einem Zweydrittel Wicken
und Unkraut wächßt.

Andere sind zwar nicht von so großem Widerspruche
und Stolze: sondern kurzsichtig genug, zu glauben, wenn
sie einige allgemeine Lehrbücher der Ästhetik ziemlich   10
memorirt, und beym Schlafengehen täglich eine gute
Portion ausführlicher und kurzer Recensionen, so wie sie
die Bibliotheken, Journale und Zeitungen bescheren, zu
sich nehmen, daß sie nun schon alles wissen, und nur um
der Deutlichkeit und Ordnung willen, wie der Krämer,   15
eine Art von Gewicht und Elle bey haben müßten. Ein
Stück, das nicht nach ihrem Maaße abgemessen, oder auf
ihrer Probecharte steht, wenn es sie auch noch so sehr
von Herzen zu lachen gemacht, intereßiret und gerührt
hätte, bleibt in ihren Augen doch Ästhetische Konter-   20
bande, und je reichhaltiger, [5ᵛ] schöner und besser sie ist,
desto verbrechlicher machen sie sie.

Mit der dritten Art Dichter und Urtheiler ist man
eigentlich gleich fertig, oder wird niemals fertig. Ihnen
ist alles schön und gut, was ihnen gefällt: und ihnen vor- 25
zustellen, daß ihnen das und jenes nicht gefallen oder
gefallen müßte, wenn sie selbst eine gute und schöne
Seele hätten, darüber zu lachen besitzen sie Eigendünkel
genug.

Nun mag es wohl auch eine ziemliche Anzahl solcher   30
geben, die in allen diesen drey Arten versucht sind, und
jede anwenden, so wie sie Belieben haben, oder es die
Umstände verlangen. Es sind theatralische Sophisten; sie
scheinen scharfsinniger, als sie sind.

Ungeachtet aller dieser zu erwartenden Urtheiler hat   35
man es gewagt, die Kindermörderinn für das hiesige
Theater abzuändern; man verbittet aber feyerlichst, es
für Verbesserung auszugeben. Es wäre denn, daß eine
solche Andichtung einen Einfall veranlassen könnte, den
Abänderer zu [6ʳ] verlachen. Denn wer lachen kann, sagt 40

man, hat meistens Recht; und sind vollends viele Mit-
lacher, so wäre es ewig schade, wenn man ihnen dieses
Vergnügen nehmen wollte.

Doch etwas von der Abänderung selbst! Der Abänderer glaubt, der Verfasser, den er nicht die Ehre hat zu
kennen, habe mit seiner Kindermörderinn ein Stück ge-
liefert, wobey auf die Zuschauer und den Schauplatz gar
keine Rücksicht genommen wird. Die Begebenheit des
unglücklichen Mädchen ist aus dem allgemeinen Welt-
laufe mit allen wichtigen und unwichtigen, zur Haupt-
sache viel, oder so viel als gar nichts beytragenden
Nebenumständen gleichsam gewaltthätig herausgerissen
worden, ohne doch das zu thun, was Dichter wenigstens
thun sollten, das, was die Hauptabsicht mehr hindert
als befördert, abzuschneiden. Er scheint auch unbeküm-
mert gewesen zu seyn, ob er in edle Charaktere Züge
einflechte, die das Edle derselben ganz unscheinbar machen oder nicht. Dafür beob-[6ᵛ]achtet er die Lokalität
so sklavisch, daß jedes unrichtiges Wort, jede falsche
Redensart, jede kahle Wendungen des Ausdrucks an dem
Orte, wo die Kindermörderinn spielt, von ihm so begie-
rig angenommen wird, als was jede Provinz charakteri-
stisch gutes eigen hat. Und das thut er nicht allein in Ansehung der Sprache, sondern auch der Sitten und Charaktere. Er scheint keine andere Absicht zu haben, als
eine Begebenheit in dem Anfalle seiner poetischen Laune
in verschiedne Unterredungen bringen haben zu wollen.

Er macht es just wie ein mittelmäßiger Maler, der um
eine recht handgreifliche Ähnlichkeit herauszubringen
die ordentliche Schönheit seines Gegenstandes verabsäu-
met. Man wird beobachtet haben, daß diese außer-
ordentlich große Ähnlichkeit der große Haufen höher
schätzt, als die wahre Schönheit, und dadurch auch man-
cher sehr guter Maler mit dahin gerissen wird. Was wunder, wenn es manchen jezigen guten Dichtern eben so
geht, zumal da sie glauben, dadurch ganz neu zu seyn,
und zu ihrem Fluge freyers Feld sehn?

Ein solcher Dichter hat also keine andere Regel, als
sich in Feuer und Enthusiasmus zu setzen, und sein Stück
zu lassen, wie es in der ersten Begeisterung ausgefallen.

Ob [7ʳ] sie bald in die poßierliche und komische Laune geht, bald wieder ganz tragisch und ernst ist, kümmert ihn nicht: genug er bringt alles in ein Stück, wie die Haushälterinn allen Vorrath in ein Gewölbe, und wer das sehen will, der muß freylich zuweilen Aug und Nase zuhalten.

Es herrscht daher in solchen Stücken ein disparater Ton, und man empfindet es ohne Erinnerung daß der Verfasser bald lustig bald traurig gewesen, ob er gleich nach dem Bedürfniß des Inhalts ganz etwas anders seyn sollen.

Dieß heißen die Deutschen jezt *Shekespearisiren*. Ich glaube auch, daß sichs mit Beyspielen aus etlichen Stükken dieses Dichters belegen lassen mag; aber gewiß nicht aus seinen guten. Und wenn es nun auch mit diesen angienge, so seh ich doch nicht, warum eine Autorität mehr gelten soll, als die andere. Denn wer ist wohl ein blinderer Nachahmer, der, welcher dem Aristoteles folgt, der bey einem Stücke, wo man Furcht und Mitleiden erregen will, gewisse Vorschriften giebt, um diesen Zweck zu erreichen, oder der, welcher dem Shekespear folgt, der davon nichts gewußt, und der doch hin und her vortrefliche Situationen, meisterhafte Charaktere [7ᵛ] hat. Wie wenn er nun an allen Orten, wo er Shekespear ist, offenbar den Regeln der Kunst gefolgt wäre? Aber warum wiederhole ich Sachen, die hundertmal besser gesagt worden sind?

Der zum Theil herrschende Ton in der Kindermörderin rühret bloß von der Begierde, die völlig gemeine Straßburger Welt beyzubehalten. Jedermann der das Theater nur halb kennt, sieht, daß dieser Ton unmöglich so bleiben konnte. Ob er aber so wie er jezt abgeändert ist, dem oft nur zu delikat gewordnen Zuschauer, der eben keine Ursache hat, darauf stolz zu seyn, erträglich geworden, muß die Aufführung lehren.

Die ganze Begebenheit zum gelben Kreuze ist zu schmutzig und plump, als daß man sie nur keuschen Ohren erzählen, geschweige keuschen Augen vorstellen könnte. Man mußte sie also weglassen, und ob das Eingeschaltete dafür Erstattung ist, mag die Aufführung gleichfalls entscheiden.

Die Scene mit dem *Major*, den *Fausthämmern*, und
alles, was die unnöthige Episode mit der verlohrnen
Dose der *Humbrechtinn* auf dem Balle veranlasset, ist
Theils albernes linkes Tabagiengeschwätz, Theils elender
5 Witz, den man höchstens dem Puppenspieler in der
Schenke verzeihen kann. [8ʳ] Sie verderben auch den Ein-
druck der vorhergehenden und folgenden Auftritte. Will
man sagen, daß demohngeachtet gute, gesunde Altags-
gerichte dabey wären, so kann man auch sagen, daß bey
10 einem Gastmale, worauf man sich vier Wochen zuberei-
tet haben will, wohl schwerlich Wurst und Sauerkraut,
recht gesunde Speisen! aus der ersten besten Butike auf-
getischt erwartet werden.

Die Veränderung des Charakters *Hasenpoth*, den man
15 *Harroth* umgetauft, schien darum nöthig, weil er im
Originale wie ein Mensch geschildert wird, der in allem
seinem Betragen nichts weiter äußert, als daß er ißt,
trinkt und flucht, und wie sein Budel liebt. Solche Leute
will niemand auf dem Theater sehen, sondern in Zucht-
20 häusern und Festungen, wenn es noch wahr ist, daß es
Leute ohne eine einzige gute Eigenschaft giebt.

Mit allen diesen und andern kleinen Veränderungen
hat man dieses Trauerspiel vor ehrlichen Leuten vorstellbar zu machen gesucht. Der Abändrer sieht es für eine
25 theatralische Fantasie an: und so wie man zuweilen gern
einen großen Musiker auf seinem Instrumente fantasiren
hört, glaubt er, könnte das Publikum wohl Lust haben,
dergleichen von einem guten theatralischen Dichter zu
hören.

---

4 *Tabagiengeschwätz:* Tabakstubengeschwätz; Kannegießern.

Erster Akt.

(Ein Zimmer in Martin Humbrechts Hause.)

Erster Auftritt.

Frau Humbrecht. Evchen. (beyde in Domino.)

Fr. Humbrecht. Geh doch zu Bette, Kind.

Evchen. Ich kann nicht. Mein Herz schlägt so heftig; lauter bange Ahndung erfüllt mich – Daß Sie schlafen mußten über der Malzeit!

Fr. Humbrecht. War freylich unmanierlich. Aber das viele Tanzen hatte mich erhitzt; und das – und die paar Gläser Wein, die ich nicht gewohnt bin, müssen mir den ungewöhnlichen Schlaf gemacht haben.

Evchen. Aber zu schlafen, wenn ich –

Fr. Humbrecht. Wenn Du wachst? das ist wohl großes Unrecht. O ich habe viele Nächte auch um Dich gewacht, da Du klein warst. Rechne also ab, liebes Kind, und laß es gut seyn. Komm, kleide Dich aus, lege Dich zu Bette; ich will, ich kann nicht eher schlafen, als bis Du auch schläfst.

Evchen. Zu späte nun! – zu späte nun!

[2] Fr. Humbrecht. Um desto eher mache, daß Du zur Ruhe kömmst. – Liebster Himmel! wie siehst Du aus? Nicht anders, wie Dein Vater, wenn er vor Zorn brennt, und vor Ärger nicht spricht. Werde nicht, wie Dein Vater; das ist ein fürchterlicher Mann, wenn er übler Laune ist.

Evchen. Gehen Sie nur, ich will Ihnen gleich nachkommen.

Fr. Humbrecht. Gewiß?

Evchen. Ja.

Fr. Humbrecht. So gute Nacht! – Aber wie grimmig Du mich ansiehst!

Evchen. Verzeihen Sie mir.

Fr. Humbrecht. Es ist doch nichts, mit Dir auf den Ball zu gehen. *(ab.)*

Zweyter Auftritt.

E v c h e n.

Rabenmutter! zu schlafen, da man auf deiner Tochter
Ehre laurt – nicht aufzuwachen, da man sie ihr
5 nimmt: da man ihr alles nimmt – nicht zu sehen, daß
deine Tochter eine Verführte, eine Verworfene geworden – Aber wenn du's wüßtest, arme Mutter? – Wohl,
daß du es nicht weißt. – Gröningsek! Teufel in menschlicher Gestalt; Satan unter Biedermanns und Freunds
10 Gestalt! wenn du nicht alles gut machst, wie du gesagt – Gröningsek! Gröningsek!

[3]   Dritter Auftritt.

v. Gröningsek. Evchen.

v. G r ö n i n g s e k. Liebste! Sie haben sich noch nicht
15 beruhigt.
E v c h e n. Ist es Ihr Schatten, oder sind Sie's selbst?
v. G r ö n i n g s e k. Erstaunen Sie nicht, daß ich noch
so spät zu Ihnen komme. Ich trat eben zur Hausthüre
hinein; denn so lang hat mich der Graf Schipp, der
20 mich bey unserm Aussteigen anredete, aufgehalten: ich
gehe bey Ihrer Stube vorbey, und höre Sie Gröningsek
schreyen, mit einem Tone, der fürchterlich war.
E v c h e n. Hörten Sies? Gegen diesen Namen sind mir
alle Worte der Verdammniß Musik!
25 v. G r ö n i n g s e k. Um was bat ich Sie aber?
E v c h e n. Um mein Verderben? Und hab ichs Ihnen
nicht gewährt? Frohlocken Sie! Was lernte ich nicht an
dem Orte kennen, wo Sie mich zu Schanden machten.
Es war ein Ort!
30 v. G r ö n i n g s e k. Ich hab Ihnen und Ihrer Mutter
schon hundertmal im Wagen betheuert, daß es ein Ort
ist, wo die Vornehmsten Partien machen, die größten
Picknicks gehalten werden, und der Zusammenfluß
aller vornehmen Ausländer ist.
35 E v c h e n. Und freylich vornehm sind Sie!

v. G r ö n i n g s e k. Ich bin der Ihrige, und dieß soll
künftig mein ganzer Stolz seyn.

[4] E v c h e n. So weiß ich schon, wo wir waren, an
einem verfluchten Orte, wo Sie gegen mich das Recht
der Gastfreyheit, der Freundschaft und der Edelmuth   5
brachen; kurz an einem Orte, den bey seinem rechten
Namen nur der Ausgeartetste Ihres Gelichters zu nennen nicht erröthet.

v. G r ö n i n g s e k. Welche ausschweifende Einbildung!
ist es Ihnen Kleinigkeit, ein ehrliches Haus in übeln   10
Ruff zu bringen; mich in Ihren Augen bis zum pöbel-
haften Verführer herab zu würdigen?

E v c h e n. Wenn es kein solches Haus war, warum kam
denn kein Bedienter, Aufwärter, als ich heulte, mich
streubte?   15

v. G r ö n i n g s e k. In der Nebenstube hörte es Ihre
Mutter nicht, wie sollten es die Hausleute gehört haben, die diesen Abend vielleicht noch dreyßig Partien
zu besorgen hatten?

E v c h e n. Mutter! Mutter! das Gewinsel deiner Toch-   20
ter nicht zu hören!

v. G r ö n i n g s e k. Aber es betrübt mich in der Seele,
daß Sie mir eine geschehene Sache so hoch aufmutzen.
Ich will sie ja wieder gut machen.

E v c h e n. Kann sie wieder gut gemacht werden? Kön-   25
nen Sie eine Blume zertreten, und sie wieder aufstehn
machen?

v. G r ö n i n g s e k. Mit Ihren romantischen Begriffen!
lasen sie nur darum Romane?

E v c h e n. Ich las sie auch, um mich vor Verführung   30
und Schande zu hüten; die Fallstricke kennen zu lernen, die man unserer Ehre legt, und [5] durch anderer
Erfahrungen rechtschaffner zu seyn. Und mir Betroge-
nen, hat alles das nichts geholfen. Gewissensangst, die
ich vorher nicht kannte, von der ich mir keine Vor-   35
stellung zu machen im Stande war, Scham vor mir
selbst und vor der ganzen Welt, hab ich durch Ihre
teuflische Lockungen kennen gelernt; fühle sie. – O
wenn Sie einen Augenblick so fühlten, wie ich!

v. G r ö n i n g s e k. *(gerührt)* Nun was soll ich denn   40

thun? Liebste, und ich will es gestehn, von mir Beleidigte! ich kann, ich will ja alles wieder gut machen.
Nur mäßigen Sie Ihren Schmerz; seyn Sie verschwiegen, verlassen Sie sich auf meine Rechtschaffenheit.
5 Bey dem gerechten Himmel! wenn ich mir von nun
an mein Glük ohne das Ihrige denke, so werde ich das
Hohngelächter der ganzen Welt.

E v c h e n. Ach Gröningsek! wäre doch das Zimmer, indem wir mit einander allein waren, über mich zu-
10 sammengestürzt. Meine Ältern würden mich bewei-
nen, meine Gespielinnen und Freunde mir Kränze zu
meinem Leichenbegängnisse winden.

v. G r ö n i n g s e k. Kann die Unterlassung eines Bet-
tels von Ceremonie Sie so sehr martern? Denn das
15 ist es ja alles, worüber Sie sich beschweren können.

E v c h e n. Was sagen Sie?

v. G r ö n i n g s e k. Stoßen Sie sich nicht an meine
Worte, die Ihrem Mißtrauen schon wieder Nahrung
zu geben scheinen. So bald diese Ceremonie vor der
20 Welt ein Beweiß seyn soll, daß ich Sie liebe, daß Sie
die einzige sind, die sich mein Herz [6] unter Ihrem
Geschlechte erwählt, so wollte ich diese nicht unterlas-
sen, und wenn ich damit meine Seligkeit erkaufen
könnte. Diese sind Sie mir; keinen Verdacht also weiter
25 gegen meine Rechtschaffenheit, wenn Sie mich lieben.

E v c h e n. Wenn ich Sie nicht liebte, würden Sie mich
mit aller Ihrer List und Gewaltsamkeit so weit bringen können?

v. G r ö n i n g s e k. Um dieser Liebe willen lassen Sie
30 alles vergessen seyn. *(küßt ihr die Hand zärtlich.)*

E v c h e n. *(auch zärtlich)* Und dann?

v. G r ö n i n g s e k. Dann ist alles gut.

E v c h e n. Aber wie lange?

v. G r ö n i n g s e k. So lange – O sehn Sie nicht in die
35 Zukunft; der Nebel vor den Augen macht auch die
schönste Aussicht unsichtbar. Das wahre Glük ist in
uns selbst; das was außer uns ist, ist Blendwerk und
Vorurtheil, von der Gesellschaft erdacht, Rechtschafne
zu quälen, und ihre Glükseligkeit zu vergällen. Las-
40 sen Sie die Welt reden, und uns genießen.

E v c h e n. *(heftig.)* Auch meinen Vater? meine Mutter?
Sind das auch Leute, die mir mein Glück verbittern?

v. G r ö n i n g s e k. Wenn nicht vorsetzlich, doch thät-
lich.

E v c h e n. O Gott! du hörst die Lästerung, an der ich   5
keinen Theil habe. Ich, ich allein verbittere ihnen ihr
Glük; sie haben mir hundertmal [7] gesagt, daß ichs
wäre, wenn ich tugendhaft bliebe. Und bin ichs ge-
blieben? Meine Ältern, solche gute Ältern, hinterging
ich! Sie müssen keine gehabt haben, oder sind von   10
ihnen nicht geliebt worden, wenn Sie nicht mitfühlen
können?

v. G r ö n i n g s e k. Aber nicht aufhören können?

E v c h e n. Ich will aufhören. Aber was wollen auch
Sie thun?   15

v. G r ö n i n g s e k. Was Klugheit und Ehre befiehlt.

E v c h e n. Diese befiehlt, schleunigste Anstalt zur Heyrath zu machen.

v. G r ö n i n g s e k. Könnt' ich doch, wie gern!

E v c h e n. Sie können nicht? Und Sie sagten mir doch,   20
Sie schwuren mir es doch auf dem Balle, den ganzen
Abend über, daß Sie könnten, daß Sie wollten.

v. G r ö n i n g s e k. Ich stehe in Diensten, bin Lieutenant.

E v c h e n. Danken Sie ab.   25

v. G r ö n i n g s e k. Werd' ich auch den Abschied bekommen? Und wenn ich ihn bekomme, meine Familie —

E v c h e n. Wenn sie rechtschaffen ist, kann sies nicht
mißbilligen.   30

v. G r ö n i n g s e k. Sie kennen sie! Die Rechtschaffenheit hat bey den Menschen gar viele Seiten. Gewisse
Leute glauben mit Geld alles berichtigen zu können;
und es scheint, als wenn ihnen die übrigen Menschen,
mit ihren Handlungen Recht gäben.   35

E v c h e n. Und das wollen Sie auch? *(höchst betrübt
und eiligst ab.)*

[8]   Vierter Auftritt.

v. Gröningsek.

Was will die Närrinn? Warum lief sie? – Soll ich warten? – Nein, ich will gehn! – Kann ich entgehn? Ha,
5   meine Galanterie scheint ein hundsföttischer Handel
zu werden! Es ist wahr, meine Zunge hat Dinge gesagt, die meine ganze Vernunft nicht sieht, wie sie sie
halten kann. – Hier wird Geld nichts ausrichten. Der
Vater ist ein Metzger, vom Spaße mit Frauenzimmern
10 kein Liebhaber – Und wenn es nur mit seinem Toben
und Rasen gut würde, auch mit einem Metzger wollt
ich fertig werden. Aber, aber wenn das arme Mädchen,
um dem Zorn ihres Vaters zu entgehen, davon, in die
Welt läuft, ins Elend kömmt, über mich die Hände
15 ringt, den Augenblick verflucht, da sie mich kennen
gelernt. – Nein bey Gott! das hab ich nicht gewollt,
das will ich nicht! – Was kan es aber denn sonst werden? – Ha! ich habe zu viel getrunken; es wirbelt mir
im Kopfe; ich will doch gehn; ich werde ausschlafen,
20 wenn ich kann; wenigstens heitern sich meine Gedanken heitern. O was für Folgen von einem Augenblick
Genuß! *(erschrickt, da Evchen auf ihn zu kömmt.)*

Fünfter Auftritt.

Evchen. v. Gröningsek.

25 v. Gröningsek. Liebste, Beste, was ist Ihnen auf
einmal begegnet? So zerstreut? so außer sich?
[9] Evchen. Sie wollen mich also nicht heyrathen?
v. Gröningsek. Ich wollte nicht? Könnt ich nur!
Evchen. Quälen Sie mein Herz nicht mit dem töd-
30 lichen Unterschiede von nicht wollen und nicht können. Ich wolte meinen Vater auch nicht kränken! Kann
ich?
v. Gröningsek. O Evchen, was beginnen Sie wider
mich?
35 Evchen. Nicht zu kriechen, meinen Räuber um keine

Gnade anzuflehen; auch nichts von ihm zu nehmen, keine Höflichkeit, kein Andenken. Ich bringe ihm das *(weißt ihm sein Bildniß)* was ich mir einstmals unter so viel Kostbarkeiten, die er mir vorlegte, allein aus- las. Ich wählte mir gleich so was unwerthes, so was nichtswürdiges, damit mirs nicht schwer würde, es wie- der zurückzugeben – Ihr Bildniß! – Nun geh, Ver- räther, triumphire *(wirft ihm das Bildniß vor die Füsse; hernach in der größten Verzweiflung setzt sie sich von ihm.)*

v. G r ö n i n g s e k. *(betrachtet Evchen mit dem größten Erstaunen, vor sich)* Und von allem ihrem Gram bin ich doch der Urheber allein! *(zu ihr)* Hören Sie mich, überlassen Sie sich nicht der Traurigkeit. – Ich biete Ihnen mein ganzes Vermögen an.

E v c h e n. Geh, biete es den Stadtnikeln an, die Dich gelehrt haben, mich für ihres gleichen anzusehen.

v. G r ö n i n g s e k. *(aufs äusserste betroffen.)* Was soll ich thun? Einen dummen Streich mit dem andern gut machen? Lächerlich werden, damit ihr Vater gegen sie nicht zornig werde? – Da geht der Narr, den ein Fleischermädchen in das Garn gelockt, [10] wird man sich in die Ohren zischen, wenn man mich mit ihr sähe. Aber wenn man sie sieht; ihr Vater sie zum Krüpel schlägt; sie von sich stößt; die Mutter vor Herzeleid sich Leids thut; denn alles das kann kommen, wird kommen, oder ich kenne die Familie nicht. Was wer- den da die Rechtschaffnen sagen? »Der Nichtswürdige! Das einzige Kind, ohne ihn, ein gutes, unbescholtenes Mädchen, zu hintergehen, ihr zu versprechen, was der Blödsinnige nicht Muth hat, ihr zu halten; er betrog sie; er verführte sie nicht.« – Und das Jammern dieses Mädchen, das mir aus Zärtlichkeit nur mehr glaubte, als ihrem Vater, dessen Freude sie seyn sollte. – Da sitzt sie; ihr anklagender Blick!

E v c h e n. *(kömmt gleichsam aus ihrer völligen Betäu- bung)* Und Sie sind nicht fort? Was wollen Sie mehr? Soll Sie mein Vater hier noch treffen?

v. G r ö n i n g s e k. Wollen Sie denn nicht hören?

E v c h e n. Was soll ich hören?

v. G r ö n i n g s e k. Daß ich Sie liebe.

E v c h e n. Ich verfluche Ihre Liebe; ich verfluche mich
und Sie, und die Stunde, da ich Sie kennen lernte.

v. G r ö n i n g s e k. Sie werden mich nicht verfluchen.
Trotz allem, was sich dawider setzen kann, sollen Sie
die Meinige werden, durch eine öffentliche Verbindung, mit aller Feyerlichkeit, die dazu gehört; ich will
es aller Welt gestehen, daß Ihre Thränen, Ihre Edelmuth, mich blos zu verachten, wenn ich Worte bräche,
mich allein auf den rechten Weg gebracht. Alles, was
ich Ihnen je von meiner Treu [11] geschworen, wie-
derhol ich Ihnen auf den Knien. In fünf Monaten bin
ich majorenn und dann führe ich Sie an Altar. Wer
kann mir dawider seyn? Der es wagt, soll mich kennen
lernen.

E v c h e n. Darf ich Ihnen trauen, nach dem was vor-
gefallen? – Doch ja, ich muß! Ich bin so herabgesun-
ken, daß auch die geringste Hoffnung in die Zukunft
mir Trost seyn muß. *(die Thränen abtrocknend)* Gut!
mein Herr Lieutenant, ich glaub Ihnen; und hören Sie
meine Bedingung. – Fünf Monate sagten Sie? Nun
wohl, so lange will ich mich zwingen, mir Gewalt anthun, daß man meine Schande mir nicht auf der Stirne
lesen soll: aber! – ist es Ihr wirklicher Ernst, was Sie
geschworen haben?

v. G r ö n i n g s e k. Ja, ja Evchen; so wahr ich vor
Ihnen stehe!

E v c h e n. *(küßt ihn, reist sich aber, so bald er sie wieder geküßt, gleich los.)* So sey dieser Kuß der Trauring, den wir einander auf die Ehe geben. Aber von
nun an, bis der Pfarrer sein Amen gesagt, von nun an
unterstehn Sie sich nicht, mir nur den Finger zu küssen.
Sonst halte ich Sie für einen Meineidigen, der mich als
eine Gefallne ansieht, der er keine Ehrerbietung schuldig ist, der er mit spielen kann, wie er will. Und so
bald ich das merke, so entdecke ich Vater oder Mutter
– es gilt gleich wem – dem ersten den besten, alles was
vorgegangen, und sollten sie mich mit Füßen zu Staub
treten! *(drohender)* Haben Sie mich verstanden, mein
Herr?

[12] v. G r ö n i n g s e k. Liebstes Evchen, hätten Sie damit angefangen, so wär' ich an Ihnen zum Bösewicht
geworden. Ihr Unwille gegen mein Unrecht, und Ihre
Betrübniß und Ihre Zärtlichkeit, die sich betrogen sah,
brachten mich zurück. Drohungen werden bey mir all-   5
zeit Herausforderungen, das Gegentheil zu thun. Also
bestes Kind, in dem Tone nie mehr!
E v c h e n. Die beleidigte Tugend spricht so, und darf
sie etwa nicht?
v. G r ö n i n g s e k. Aber ich höre vor dem Tone die   10
Beleidigte nicht?
E v c h e n. So ist es bey Ihnen Gnade, was ich für bloße
Schuldigkeit halte?
v. G r ö n i n g s e k. Nein, Engelskind! das Opfer meiner Freyheit soll nur freywillig, nicht erzwungen und   15
erlistet seyn. Wie gesagt, in fünf Monaten sind Sie
durch ein feyerliches Band die Meinige. Verschwiegen
also! *(er will ihr die Hand küssen, besinnt sich aber)*
Dieses wollt' ich sagen, auf eine gute Nacht! Aber dem
Befehle Ihrer Delikatesse will ich gern nachleben.   20

Sechster Auftritt.

E v c h e n.

Wenn du der nachlebst, so seh ich noch die Tage, wo
ich meinen Ältern unerschrocken unter die Augen treten kan. Aber fünf Monate in solcher Furcht [13] und   25
Hoffnung leben, hartes Geschick! doch ich habe kein
bessers verdient. – Gerechter Gott! züchtige mich; aber
laß mich vor der Welt nicht zu Schanden werden!

Siebenter Auftritt.

Frau Humbrecht. Evchen.   30

F r. H u m b r e c h t. Hast Du Dich noch nicht ausge-
kleidet? Mädchen, Mädchen Du gefällst Dir in der
schönen Kleidung.

E v c h e n. Gefall ich mir? Gefall ich mir? Meine liebe
Mutter, hier zieh ich sie auf ewig aus. Kein Domino
und aller dieser Putz *(indem sie alles ablegt)* soll mehr
auf meinen Leib kommen. Nicht wahr, meine Mutter,
5 einmal dem Vater ungehorsam gewesen, ist doch nicht,
dem Vater immer ungehorsam seyn?
F r. H u m b r e c h t. Sey doch nicht so närrisch furcht-
sam. Du bist mit mir gewesen, und wenn ihm das nicht
Recht ist – so ist es doch sonst Recht. Die Männer
10 haben immer was mit ihren Frauen und Töchtern.
Freude und Vergnügen, denken sie, ist nur für sie und
ihre Söhne.

Dritter Akt.

[42]   Vierter Auftritt.

15   *v. H a r r o t h. v. G r ö n i n g s e k.*

v. H a r r o t h. Tausendsasa! Gröningsek! hast Du Dich
nicht ein paarmal so dumm angestellt, daß man Dein
ganzes Geheimniß Dir in den Augen lesen konnte.
Wäre der Magister nur einen Grad mißtrauischer –
20   durchdringender.
v. G r ö n i n g s e k. O dafür scheint er mir zu gut-
herzig!
v. H a r r o t h. Und den Auftrag, den Du ihm da gegeben!
25 v. G r ö n i n g s e k. Hab ich sehr zweydeutig eingerich-
tet: – mit vieler Mühe, ich gesteh es. – Richtet er ihn
aber so aus, wie ich ihn gab, so kann er doch seine
gute Würkung haben. Evchen wird jedes Wort verstehn, und vielleicht beruhigt sie das, wenigstens zum
30   Theil.
v. H a r r o t h. Sage mir nur, was Du eigentlich mit ihr
vorhast! Ich muthmaße, ihre Melancholie hat physische Ursachen zum Grunde.
v. G r ö n i n g s e k. Das hat sie, ja! – Sie ist schwanger.

– Ich habe schon zuviel gestanden, um dieses läugnen
zu können. – Und eben, weil sie es ist, von mir – fühlst
Du, was das heißt? – von mir es ist, so könntest Du,
dächt ich, eben so gewiß auch muthmaßen, was ich mit
ihr vorhabe; was ich thun werde, thun muß. Ich werde   5
sie heyrathen.

v. Harroth. Du?

[43] v. Gröningsek. Ich! – Das ist wohl der geringste Ersatz, den ich ihr geben kann.

v. Harroth. Der Lieutenant von Gröningsek die   10
Humbrechtin! – Unmöglich!

v. Gröningsek. Warum? wenn ichs wissen darf?
warum? wie so unmöglich?

v. Harroth. Fürs erste als Lieutenant –

v. Gröningsek. Ich kann ja quittiren, wo steckt   15
hernach die Unmöglichkeit? – Sie als Frau zu erhalten,
das soll mir nicht schwer werden: ich habe vieles ver-
schleudert, aber auch noch manches gerettet. – Den
Rest meines Vermögens selbst zu übernehmen, dies ist
die Absicht, in welcher ich um Urlaub anhielt; ich bin   20
jetzt majoren und kann jeden Augenblick eintreten.
– So bald dies in Ordnung ist, komm ich wieder zurück, und bitte mir Evchen vom Alten aus. Wenn ich
den blauen Rock auszieh, ist sie die Meine, daß weiß
ich.   25

v. Harroth. Du willst also allem entsagen? –

v. Gröningsek. Allem, allem! – eh ich die Höllen-
pein mit mir herumschleppen wollte! – Aber noch eins!
– *(nimmt ihn bey der Hand.)* Du bist der Einzige, dem
ich mein Herz geöffnet; noch ist kein Wort von alle   30
dem, was Du gehört hast, über meine Lippen gekommen. – Deine Anschläge haben mich in diesen Abgrund gestürzt – dieß ist kein Vorwurf, den ich Dir
mache; Du verkantest den Engel, ich auch! und doch
hätt ich ihn besser kennen sollen, ich! ich allein! Du   35
nicht! –

[44] v. Harroth. Ich bin, wie versteinert. Sprichst
Du im Ernst? Sprichst Du im Scherz?

v. Gröningsek. Da ist keine menschliche Macht, die
mich von meinem Entschlusse abhalten könnte.   40

v. H a r r o t h. So ist es mit Dir aus.

v. G r ö n i n g s e k. Kann seyn!

v. H a r r o t h. *(nachdem er sich lange besonnen.)* Er-
innerst Du dich noch, wie wir einander die Brüder-
schaft tranken?

v. G r ö n i n g s e k. Da versprachen wir, einander nichts
zu verhölen; und ich verhöle Dir nichts.

v. H a r r o t h. Wir versprachen auch einander, mit Rath
und That beyzustehn; in jeder Gefahr einander zu
beschützen, vor jedem Fallstrick zu warnen. – Zum
Element! Du rennst mit offnen Augen, freywillig, in
Dein Verderben.

v. G r ö n i n g s e k. So?

v. H a r r o t h. Wundere Dich nicht über den ernsten
Ton, den ich annehme; ich weiß wohl, daß er bey mir
was seltnes ist. Ich muß Dir grade heraussagen: um
eines Mädchen sich die ganze grosse Aussicht seines
Glücks verderben, seine ganze Familie vor den Kopf
stoßen, und ihr durch sein eignes Unglück nachtheilig
werden, wenn das nicht Tollheit ist, so kenn ich keine.

v. G r ö n i n g s e k. Ha! Du willst vernünfteln? Wohl
wohl! wir wollen vernünfteln!

v. H a r r o t h. Und dann doch thun, was die Vernunft
befiehlt?

[45] v. G r ö n i n g s e k. Die Vernunft des Manns ohne
Vorurtheil. Ich räume Dir ein, daß ich einen Fehler
begangen; daß um aller Liebe, die ich zu Evchen trage,
es nicht gethan zu haben wünschte, was ich gethan
habe. Aber kannst Du geschehene Sachen nicht geschehen machen?

v. H a r r o t h. So muß man sich darauswickeln, wie
man kann.

v. G r ö n i n g s e k. Will ich das nicht? thu ich das nicht?

v. H a r r o t h. Aber nur auf Deine Kosten. Sie hat
eben so gut gefehlt, als Du; warum soll sie also nicht
mitleiden?

v. G r ö n i n g s e k. Sie leidet genug durch die jetzige
Angst, wenn sie ja Schuld hat. Aber ich muß Dir sagen,
sie hat keine Schuld. Ich sagte ihr Schmeicheleyen; ich
gieng ihr auf allen Schritten nach; ich war verliebt,

und ich zwang mich, nicht etwa es weniger zu scheinen, sondern es nur mehr zu seyn. Ich führte sie auf
den Ball; ich verübte da die Schurkerey; ich gab der
Mutter einen Schlaftrunk, und bezwang das Mädchen.
Verflucht sey ich, wenn ich ihr nicht alle Genugthuung   5
dafür gebe, und eben darum, weil ihr die Gesetze nicht
genug behülflich seyn können, sie von mir mit Gewalt
zu fordern. Pfu des Menschen der von Erfüllung der
Pflichten redt, und der heiligsten, worauf sich alles in
der menschlichen Gesellschaft gründet, vergießt, oder   10
sie nach den andern erst kommen läßt.

v. H a r r o t h. Da haben wir die Früchte des Stuben-
hütens, des Bücherlesens! Die Pflichten [46] gegen ein
Bürgermädchen setzest Du über die Pflichten gegen
Deinen König, gegen die Landsgesetze und gegen   15
Deine Familie.

v. G r ö n i n g s e k. Ha! denkst Du, es ist unsere einzige Pflicht, sich auf des Königs Wink todt schießen zu
lassen? Bruder, ich kenne noch mehrere, noch eine
höhere, diese, daß wir zu keiner Zeit die Ruhe seiner   20
Unterthanen stören, sie nicht hindern, so glücklich und
vergnügt zu leben, als ihre Kräfte reichen. Und hab
ich diese gethan? Lerne ganz meine Niederträchtigkeit
kennen, weil mir sie eben niemand vorrücken darf. Ich
ward in ihr Haus einquartiert; man fand an mir, was   25
den guten Leuten gefiel; ich war was ich seyn sollte,
freundlich und gefällig. Dieses erwekte Vater und
Mutter, Tochter und Hausleuten so ein einiges Wohl-
wollen gegen mich, daß sie mich wie ein Kind, wie
einen Freund und Herrn, dem sie nichts zu verhölen   30
brauchten, ansahen. Sie thaten mir alle Dienste, die
mit allem Gelde, das man dafür aufwiegen könnte,
nicht so von Herzen geleistet werden. Selbst der Alte,
der so zurückhaltend gegen Leute von unserm Stande
ist, ward mir geneigt, und seine Achtung gegen mich   35
stieg mit seiner Liebe.

v. H a r r o t h. Nun geht mir ein Licht auf. Damit
haben sie Dich ins Garn gelockt.

v. G r ö n i n g s e k. Damit? Laß es auch seyn! haben
Sie unrechte Mittel gebraucht? Sind Sie mir hinterlistig   40

gewesen? haben sie mich betäubt? Stand es nicht bey
mir, die erste Gefälligkeit, mit der ich diese Absicht
vermuthete, abzulehnen? Durfte ja nur ausziehn, nur
mit einer [47] Miene äußern, daß die Gefälligkeit des
Mädchen mir mißfällig sey.

v. Harroth. Wer kann das?

v. Gröningsek. Wenn man das nicht kann, so muß
man auch die Folgen ertragen, die daraus kommen.

v. Harroth. Schon recht! Aber die Folgen sind ver-
schieden, und es steht bey uns, sie zu unserm Vortheil
zu wenden; nur muß sie Deine Einbildung nicht von
einer fürchterlichen Seite sehen. Sie hat Dich zur
Memme gegen Dich selbst gemacht. Du schiebst die
Gerechtigkeit vor, und es ist eigentlich die Liebe, die
Dich so fantasieren läßt. Du befürchtst, Deiner Schönen könne Dein zu zärtlicher Umgang mit ihr künftig
nachtheilig werden; aber hast Dus nicht in Händen,
ihr ihn so vortheilhaft zu machen, als sie ohne denselben, gewiß nicht glücklich gewesen.

v. Gröningsek. Das hab ich, glaub ich; das wünsch
ich. Und doch hätte sie vielleicht einen bessern Mann
bekommen, als ich bin. Denn wenn wir uns beyde recht
betrachten, so ist das Beste an uns, Einbildung, Stolz;
rauh gegen alle, die nicht von unserm Stande sind; in
Friedenszeiten allerliebst schöne lange Puppen, die sich
zu tausend auf Eines Wink, wie eine Marionette bewegen! Der Umstand, daß die jezige europäische
Staatsverfassung uns unentbehrlich macht; jeder Staat
unsre Anzahl von Tag zu Tag vermehrt, macht uns
freylich über alle andre Stände schätzbar. Aber wenn
das Ding so fortgeht, so sind in zwanzig, [48] dreyßig
Jahren, die europäischen Reiche stehende Armeen, und
die Regenten haben endlich weder Akersleute noch
Fabrikanten, noch anderes bürgerliches Grob, ohne das
doch die ganze Herzhaftigkeit einer Armee und der
ganze Scharfsinn einer Generalität, nur ein meisterhaf-
tes Gepräge ohne Gold und Silber ist. Da wirds dann
auf einmal ein allgemeines Verabschieden geben, und
sieh! wenn wir denn unter tausenden so glücklich geworden und Regimenter und schöne Ordensbänder gar

hätten; würden dann verabschiedet, hätten kein Geld;
denn das bischen setzen wir wohl zu, was wir etwa
haben: wie alsdann? Arbeiten können wir nicht, zu
zehren haben wir nichts. So was hätte doch das gute
Evchen wohlhabender Bürgersleute nicht bekommen   5
können?

v. Harroth. Nein, Bruder, bey Dir spukts *(fühlt ihn
an die Stirne.)* Ich gebe Dir noch vier Wochen Zeit, so
fort zu denken, wie Dus nennest, und jeder lauft vor
Dir; und dann noch zwey Wochen, so muß man Dich   10
in Ketten legen – *(er schüttelt ihn)* Wach auf! der Du
schläfst, und großen Unsinn träumest.

v. Gröningsek. *(hönisch)* Du hast Recht! Aber so
gehts, wenn wir Leute raisonniren, die wir zum Ge-
horchen gemacht sind. Wir finden alles anders.   15

v. Harroth. Was Teufel! brachte Dich auf solches
Zeug?

v. Gröningsek. Ein bloßes Mädchen, ein bloßes
Metzgermädchen. Und hörst Du? ich hey-[49]rathe sie
doch. Was da wird gelacht, gewitzelt werden. O Har- 20
roth, es wird auch da moralisirt werden.

v. Harroth. Ich habe Dich hinter einander reden lassen, willst du mir gleiches Recht gewähren?

v. Gröningsek. O ja.

v. Harroth. Ich dächte so; bey kaltem Blute freylich; 25
zwar mit der allgemeinen Mädchenliebe; aber bey
Gott! ohne alle specielle Liebesfantasey. Es ist freylich
so alltäglich, so gewöhnlich, was Dir darum eben nicht
so recht behagen wird.

v. Gröningsek. Laß nur hören.   30

v. Harroth. Zu dem meynst Du selbst, Deine Ge-
liebte würde mit Dir kein großes Glück machen. Wie
wär' es, wenn wir sie geschwind an einen andern ver-
heyratheten?

v. Gröningsek. Harroth!   35

v. Harroth. Wer wahrhaftig zärtlich liebt, will der
Geliebten Glück vor dem seinigen. Daß sie in eines
Andern Arme käme, könnte Dich betrüben; aber als
Philosophen noch mehr freuen, daß sie in eines Glück-
lichern Armen läge. Der Glücklichere könnte der Ma- 40

gister seyn. Eine gute Pfarre für ihn wäre zu haben,
wenn wir uns Mühe geben. Dein Vetter, der Marschall,
sagte ja letzthin über der Tafel, daß sein guter ehrlicher Prediger nun ziemlich alt würde, und er ihm
bald einen Substituten geben müsse. Höre, wenn wir
zu ihm giengen, beichteten ihm die ganze Pastete.
Hohl mich der Teufel! er hilft uns aus der Noth;
macht ihn [50] zum Substituten, und Dich wieder zu
einem gesunden Menschen.

v. G r ö n i n g s e k. Da haben wirs! den schönen Einfall!

v. H a r r o t h. Und den ohn alles Bücherlesen; ohn alles
Spekuliren. Sage mir selbst, ob man nicht die guten
Einfälle von ungefehr bekömmt, wie den Adel. Der
meinige ist mir so gekommen, daß ich selbst nicht weiß
wie!

v. G r ö n i n g s e k. Dein Adel? Ich glaub es.

v. H a r r o t h. Versteh mich doch recht; dieser mein
Einfall. Und ist er nicht der schönste, beste und ehr-
lichste? Wird nicht Vater und Mutter mit der Tochter
versöhnt? Der Magister versorgt?

v. G r ö n i n g s e k. So? Darüber soll ich wohl lachen?

v. H a r r o t h. Wenn Du vor Freuden weinen willst,
weine, weine!

v. G r ö n i n g s e k. Elender! – Was hat Dir der ehrliche
Magister gethan, daß Du von ihm eine so nichtswürdige Idee hast? Ist er halber Denker, halber Nachbeter,
so weißt Du es doch am wenigsten zu beurtheilen.
Sein Herz ist erhabner; sein Verstand reifer, als alle
Dein zügelloses Geschwätz. Schäme Dich einem Manne,
der sich von selbst aus dem Staube winden müssen,
und weniger Staub an sich hat, als Du, so hämisch
hinterm Rücken Dreck nachwerfen zu wollen. Wer mir
mit solchen Anschlägen kommen kann, ist meines Ver-
trauens unwür-[51]dig, und Schande über mir! daß ich
mich Dir anvertrauen müssen.

v. H a r r o t h. Es soll Dich doch nicht gereuen, daß ich
Dein Vertrauter bin.

v. G r ö n i n g s e k. Aber Dich, wenn Du dir nur ein
Wort gegen den Magister von einem solchen Anschlage
entfahren läßest; weder in meinem noch in eines frem-

den Namen. Du weißt, wenn der Officier alle
Freundschaft verkennt, wenn man seine Ehre angreift,
und meine Freunde sind mir nie zur Schande gewesen.
v. H a r r o t h. O Du Heiliger in Uniform! – Noch eins!
v. G r ö n i n g s e k. Nichts mehr davon! Ich muß wegen   5
meiner Reise ausgehen, und Du kannst mich hier erwarten, oder mitgehn. *(ab.)*

Fünfter Auftritt.

v. H a r r o t h.

Der Mensch rennt in sein Verderben. – Mein Freund!   10
das thut mir weh! Sein toller Kopf hat mich zwar jezt
ganz rappelköpfisch gemacht; aber wenn ich meinen
aufsetze, mach ichs nicht besser. – In der Trunkenheit
schläft sichs auch im Rinnsteine; aber man dankts doch
in der Nüchternheit dem, der uns nicht darinn schlafen   15
lassen. Ich muß also jezt allein für sein Bestes sorgen.
Hat er doch vielen seiner Kameraden, ohn ihr Zuthun,
aus ihren Pat-[52]schen geholfen; mir selbst oft; also
muß ich ja auch jezt ihm!

Sechster Auftritt.   20

Der Magister. v. Harroth.

M a g i s t e r. Ist der Herr Lieutenant von Gröningsek
schon aus?
v. H a r r o t h. Wie Sie sehen, lieber Herr Magister.
Aber er wird bald wieder da seyn, und hat mich ge-   25
beten, Sie unterdessen zu unterhalten. .
M a g i s t e r. Wenn ich nur Zeit hätte!
v. H a r r o t h. Ich kann mir aber doch so ein Vergnügen nicht aus den Händen lassen. Etwas müssen Sie
wenigstens verziehn.   30
M a g i s t e r. Wie Sie wollen.
v. H a r r o t h. Ich muß Ihnen sagen, ehe wir auf etwas
anders kommen. Sie haben bey unserm Marschall eine
sehr gute Nummer.

Magister. Ich hab aber die Ehre, ihn gar nicht zu kennen.

v. Harroth. Er kennt Sie aber; er hat Sie etlichemal hören predigen.

5 Magister. Eine große Ehre für mich.

v. Harroth. Letzthin sagte er über der Tafel, unsrer Freund war dabey – er brauche für seinen alten Prediger einen Substituten. Wie? wenn Sie sich ihm vorstellen ließen?

10 [53] Magister. Ich danke Ihnen gehorsamst für Ihre gute Meynung; und ich werde unsern Freund bitten, daß ers thut.

v. Harroth. Lieber Herr Magister, Gröningsek hats Ihnen schon lange sagen wollen; allein vor lauter Gril-

15 len hat er seinen besten Freund vergessen. Ich will Sie selbst dem Marschall vorstellen, dem Sie nur sagen müssen, daß Sie ein guter Freund von seinem Vetter sind. Aber dem Lieutenant müssen Sies nicht eher wissen lassen, als bis Sie dem Marschall selbst aufgewartet

20 haben. Ich möchte ihm gern einen Fall vorrücken, wo ich an unserm gemeinschaftlichen Freund mehr gedacht hätte, als er. Ich will wetten, Sie sind in Ihrem Gesuche glücklich.

Magister. Die Vorsehung lenkt alles zum Besten,

25 dessen bin ich überzeugt.

v. Harroth. Wenn Sie nun diese Pfarre erhielten, ein Umstand wäre dabey. Sie könnten nicht lange ledig bleiben. Es ist ein sehr einträgliche Pfarre; aber es kommt alles auf die Wirthschaft an. Sie studieren

30 gern, Sie würden sich also damit nicht abgeben wollen.

Magister. *(lächelnd)* Da könnte man schon eine Gehülfinn kriegen.

v. Harroth. So ist es wohl gar wahr, was man mir schon etlichemal gesagt hat, und wenn mir recht ist,

35 Gröningsek selbst, Sie hätten etwas Liebes hier im Hause.

Magister. Sie scherzen. Ich gebe der Jungfer Humbrecht, aus Freundschaft Klavierstunde.

[54] v. Harroth. Sie wären ja nicht der erste Lehr-

40 meister, der seine Schülerinn heyrathete.

Magister. Wie könnt' ich aber jezt an so etwas denken?

v. Harroth. Liebster Freund, Sie müssen mir meine Dreistigkeit nicht übel nehmen; ich meyne nur, wenn Sie eine Versorgung hätten.   5

Magister. Dann kömmts doch noch auf die Eltern an, ob sie mir sie geben.

v. Harroth. Gerne, gerne!

Magister. Und ob sie mich haben will.

v. Harroth. Vor allen andern. Es ist wirklich ein   10
scharmantes, stilles Kind – Herr Magister, man redet nur so freundschaftlich: ich wüßte kein besseres Paar, als Sie beyde.

Magister. Sonderbarer Mann! Sie trauten mir das Mädchen wohl noch heute an, wenn es bey Ihnen   15
stünde, und vergäßen die Pfarre darüber.

v. Harroth. Das versteht sich so, wenn Sie diese nicht bekommen, daß vor der Hand aus der Verbindung nichts werden kann. Aber wenn Sie die Pfarre bekämen, freyten Sie doch um sie?   20

Magister. Ich leugne es gar nicht.

v. Harroth. Sie gehn also Morgen zum Marschall?

Magister. Wenn Sie die Gewogenheit haben wollen.

[55] **v. Harroth.** Nur Gröningsek sagen Sie nichts davon, und damit es noch mehren Nachdruck hat, soll   25
Sie der Major vorstellen. Wir wollen gerne den Spaß haben, sagen zu können, daß er seine Herzensfreunde zuweilen auch vergißt.

Magister. Das will ich Ihnen gern versprechen. Und nun empfehle ich mich Ihnen. *(ab)*   30

v. Harroth. Nur Wort gehalten, Herr Magister!

Siebenter Auftritt.

v. Harroth.

Der beißt an, und verbeißt sich! – Was also ferner zu thun? Ich muß alles aufbieten, daß man dem Marschall   35
über der Tafel Humbrechts Predigten lobet und preiset. Aber verdammt! seine Maitresse reißt alles ein,

was man gutes stiftet, wenn sie erfährt, daß ich darunter bin. Bey der bin ich in Ungnade gefallen. Man
mache sich doch keinen Menschen zum Feinde! Will
ich gleich nun bey ihr fuchsschwänzen, so kann ich
5 nicht. Der wunderliche Marschall, daß er Eine Maitresse so lange haben muß. Werd ich Marschall, darüber sollen sich meine Officiere nicht beklagen.

Fünfter Akt.

Achter Auftritt.

10 Magister *(ließt, und deutet Sylbe für Sylbe, mit
dem Finger, Martin Humbrecht und seine Frau sehn
auf beyden Seiten hinein.)*

[79] »Mein Herr!
Nun kann ich Ihnen sagen, warum ich so unvermuthet
15 Stadt und Regiment verlassen. Ich habe einen kleinen
vertrauten Umgang mit Ihrem Baßchen Evchen gehabt. Die kleine Heilige hat ihn für was ganz anders
genommen, als es mein Stand erlaubt. Sie scheint auch
vergessen zu haben, an was für einem Orte unsere
20 Zärtlichkeit begann. Es war der Ort der Freude, wo
unsere reife Überlegung vor dem schnellen Gange
unsers Bluts keine Macht hat. Bringen Sies Ihrem
Vater auf eine gute Manier bey, daß ich in keinem
Falle der ihrige seyn kann. Er liebt seine Tochter zu
25 sehr, als daß er ihr nicht diesen kleinen Fehler vergeben sollte. Zu etwas Geld will ich mich gerne ver-
stehen; doch muß es nicht viel seyn; am wenigstens
davon Lermen gemacht werden.

v. Gröningsek.

30 N. S. Es bedarf keiner Antwort, sie trift mich doch
nicht.«

*(Magister guckt sie wechselsweis, das Papier in der Hand
haltend, an.)*

Vierzehnter Auftritt.

v. H a r r o t h. H u m b r e c h t.
F r a u H u m b r e c h t.

H u m b r e c h t. *(anfahrend.)* Wer sind Sie, mein Herr?
v. H a r r o t h. Was mein Rock besagt.   5
H u m b r e c h t. Ein Officier! Aber was wollen Sie bey
     mir? was haben Sie bey mir zu thun?
v. H a r r o t h. Gelassen! Ich weiß, Sie haben jetzt
     Kummer.
[85] H u m b r e c h t. Blitz und Hagel! wenn Sie das   10
     wissen, so werden Sie doch nicht gekommen seyn, ihn
     zu vergrößern.
v. H a r r o t h. Nein, ihn zu mindern. Ich komme we-
     gen meines Freundes Gröningsek.
H u m b r e c h t. Gewiß des Gröningseks, der bey mir   15
     lag! – Ja ich besinne mich, auch Sie bey ihm gesehn zu
     haben. Herr Lieutenant, ich bitte Sie, verlassen Sie
     mich. Bey Gott! es kann nicht gut gehn! Ich könnte
     mich an seinen Mitgesellen so gut vergreifen, als an
     ihm selbst.   20
v. H a r r o t h. *(verächtlich und drohend.)* Meister!
H u m b r e c h t. Ich bin aber ein ehrlicher Meister; ob
     aber der Gröningsek ein ehrlicher Officier ist, das
     weiß ich nicht, und wills aller Welt sagen, daß ers
     nicht ist. – Ein Mameluck!   25
v. H a r r o t h. Bürger und Meister! – Ich habe zwar
     mit dem unglücklichen Vater Mitleiden; allein wenn er
     nicht Vernunft hören will, wenn er den guten Rath
     verschmäht, den ich ihm aus gutem Herzen seiner
     Tochter wegen zugeben komme, so bin ich wahrhaftig!   30
     kein Lämchen, das Er nach Belieben in Seine Hürde
     treiben kann.
F r. H u m b r e c h t. Lieber Mann, besänftige Dich doch.
H u m b r e c h t. *(anfahrend)* Frau, geh! Oder hat Dir
     der auch versprochen, Dich auf den Ball zu führen. –   35
     Herr Lieutenant, ich weiß, ich bin ein gekränkter Va-
     ter, ein beschämter Bürger; aber ich bins durch einen
     ehrlosen abscheulichen Verfüh-[86]rer, an dem ich

Rache nehmen werde. Wo ich ihn finde, werde ich
Faust und Beil für ihn haben.

v. H a r r o t h. Stille von Seiner Metzgermacht! – Können Sie mich geduldig anhören?

Fr. H u m b r e c h t. Lieber Martin, thu' es doch!

H u m b r e c h t. Weib, Weib! bringe mich nicht auf. –
Gut! ich will Sie anhören. Aber was soll ich hören?
Was ich nicht alles schon fühle! Und warum soll ich
mir das alles von Ihnen, von einem Gröningseks
Freund wiederholen lassen?

v. H a r r o t h. Sie sollen hören, wie die ganze Sache
noch gut werden kann.

H u m b r e c h t. Wenn Sie das könnten! Aber Worte,
Lügen, Gaukeleyen! O Ihr Gröningsek war daran auch
nicht arm! Allein, warum steckte er mir das Haus nicht
überm Kopfe an, wenn er ja seinen Wirth kränken
mußte? Doch dazu war er zu feig, und fürchtete sich
vor gerechter Strafe. Nun so hätte er mir oder meinen
Leuten Arm und Bein entzwey schlagen sollen. Aber
dazu war er auch zu feig; denn wir hätten uns, trotz
Uniform und Degen, unser Haut gewährt. Freylich so
konnte er mir nur diese Kränkung zufügen; darüber
straft ihn niemand! – Was hab ich ihm gethan? hab
ich ihm je ein unschönes Wort in Weg gelegt? Wär ich
nicht durchs Feuer für ihn gelaufen? Fußfällig hätt'
ichs ihm abgebeten, wenn jemand in meinem Hause
gewesen, der ihm nicht allen Respekt, alles Liebes und
Gutes erwiesen. Hatte er nicht Menscher genug in der
Stadt? Muste er denn mein einziges Kind rauben? Was
hat er denn davon, daß [87] ich in Thränen fließe,
und sie in der Irre herumläuft?

v. H a r r o t h. Und dieses eben zu verhindern eilte ich zu
Ihnen. Der Magister traf mich auf der Strasse und erzähl-
te mir, Ihre Tochter habe sich aus dem Haus verloren.

H u m b r e c h t. Das ist auch ihr Glück! Ich würde sie
nicht menschlich prügeln, die verfluchte Tochter!

v. H a r r o t h. Gelindigkeit ist aber hier besser. Suchen
Sie sie in der Stille auf; und wenn Sie sie haben, lassen Sie sich gegen sie von allem nichts merken, was sie
mit Gröningsek vorgehabt.

H u m b r e c h t. Meynen Sie?

v. H a r r o t h. Auf diese Art wird kein Gerede in der
Stadt, und man kann sie mit Ehren an Mann bringen.

H u m b r e c h t. An Mann freylich! aber an was für
einen! An einen Ehrliebenden könnte vielleicht mit   5
Trug und List geschehen. Aber nein, meiner Tochter
Schande soll mich noch nicht zu Schanden machen.
Freylich, wenn ich mich plackte und sühlte, und der
schlaflosen Nächte genug hatte, da dachte ich manchmal: zu was alles das? Du bist ein toller Kerl! mit   10
deinem Schweiß und Blute dir mehr zu erwerben, als
du brauchst. Da dacht ich aber wieder: Du hast eine
Tochter, die wächßt heran, wird einen Mann haben
müssen, und vielleicht ist der, der sie liebt, und den sie
liebt, eine gute Haut, hat aber nicht zu brocken und   15
zu beißen. Dem wirst du deine ersparten paar Thälerchen [88] geben; der wird sie gut anwenden, und sie
werden, wie rechtschafne Leute leben, und das einmal
wieder an ihren Kindern thun, was ich an ihnen gethan.   20

v. H a r r o t h. Dieser Glückseligkeit können Sie ja noch
theilhaft werden. Finden Sie sich nur jetzt in den un-
angenehmen Umstand. Der Mensch wäre ja das elen-
deste Geschöpf, wenn ein Versehn ihn um alle das
Gute brächte, um das es noch der Mühe wehrt ist zu   25
leben. Der Magister hat Ihre Tochter geliebt, und ich
habe es oft gehört, daß er sie zu heyrathen wünsche,
wenn er versorgt würde, versteht sich, nicht anders als
mit Ihrer Beyden Einwilligung.

H u m b r e c h t. Wenn das nun auch so wäre, so kann   30
doch nun nichts mehr daraus werden.

v. H a r r o t h. Wie so? Der Marschall, der Vetter des
Gröningsek hat jezt eine sehr schöne Pfarre zu vergeben. Alle Umstände verbinden ihn, sie dem Magister
zu geben, wenn er Ihre Tochter heyrathet. Läßt man   35
ihn nun nichts davon erfahren, dreht zum besten, was
etwa schon davon ausgekommen ist; eilt mit der
Hochzeit: so seh ich doch wahrhaftig nicht, was Sie
mehr zu jammern und zu winseln haben. Ein Übel ist
immer zu etwas gut; und wer das Gute, das uns mit   40

dem Übel gekommen, nicht ergreift, der verdient das
Übel allein, das ihm vielleicht die Vorsehung nur allein um des Guten willen schickte.

Humbrecht. Herr! mein Vetter ist nicht nieder-
5 trächtig; solls auch nicht werden! Für das Bis-[89]chen
Wohlthat, das ich ihm erwiesen, hat er mir Freude genug gemacht: er ist ein braver gelehrter Magister geworden; das Zeugniß geben ihm alle. Ich wäre ein
rechter Schurke, den man aus der Stadt peitschen
10 sollte, wenn ich den, der mir so gut gedankt, zur ersten
Hundsfötterey beredete. – – Herr Lieutenant, ich bin
ein Metzger; aber den guten Namen eines ehrlichen
Mannes zu zermetzeln, das überlasse ich nur denen,
die sich schämen, Metzger zu seyn. Der Himmel weiß
15 es, ich habe mein Vieh nie verstohlen auf Fremder
Wiese getrieben! Aufsuchen will ich zwar meine Tochter; sie mag sich verkriechen, wo sie will: ich will sie
aber auch braun und blau schlagen, und dann ins
Zuchthauß bringen. Da mag sie weinen und ihre
20 Sünde büßen, damit sie nicht ewig verdammt wird. –
Und Frau, wo Du mir hinterm Rücken dagegen bist,
so will ich Dirs schon fühlen lassen, daß Du Deine
Tochter selbst auf den Ball geführt. Der Magister soll
mein Sohn seyn, und das soll mich trösten, keine Toch-
25 ter gehabt zu haben. Du hast ihn so schon vorhin für
seinen guten Willen beleidigt. *(ab.)*

Funfzehnter Auftritt.

v. Harroth. Fr. Humbrecht.

Fr. Humbrecht. Ach mein Mann!
30 v. Harroth. Ist ein hitziger, wilder Kopf.
Fr. Humbrecht. Wenn sie ihm in der ersten Hitze
aufstößt, so bringt er sie um. Ich kenne [90] ihn. –
Wohin soll ich laufen, daß ich sie finde? Und wenn ich
sie gefunden, wo verberge ich sie ihm die erste Zeit;
35 ich arme Mutter! Solches Herzeleid zu erleben! O ich
beschwöre Sie, Herr Lieutenant; ich bitte Sie fußfällig!

schreiben Sie an den Gröningsek, versprechen Sie ihm
unser ganzes Vermögen, wenn er sie noch heyrathet.

v. H a r r o t h. Er ist Officier, der nichts hat, als was er
einmal von seinem Vetter erbt, der aber über eine
solche Mißheirat gegen ihn in dem größten Grolle   5
sterben würde. Nur der Plan mit dem Magister kann
die Ehre Ihrer Tochter borgen.

F r. H u m b r e c h t. Ich wollte alles thun; aber mein
Martin! – Gott! erbarme dich meiner! kein Mensch
nimmt sich meiner Tochter an.   10

Sechzehnter Auftritt.

v. H a r r o t h.

Wer nun hier nicht hartes Herzens, feste Entschlie-
ßung wäre, dem lockten die Thränen der armen Leute
die Wahrheit bald ab: und die Wahrheit macht Grö-   15
ningseken zeitlebens unglücklich, lächerlich. – Aber seinem Freunde wider seinen Willen ein Unglück abwenden; mit Gefahr unsers eignen Lebens abwenden, ist
das klug? ist das recht? – O was wäre Freundschaft,
wenn sie nur in kahlen Betheurungen bestünde? wenn   20
sie nicht oft ein Theil von unserm Eigenthume, von
unserer Sicherheit abzufordern berechtigt wäre. Und
aus Freundschaft thu ich, was ich um keinen Preis der
Welt thun wollte.

AUSZÜGE AUS H. L. WAGNERS
UMARBEITUNG (1779)

Aus der Vorrede[1] zu den Theaterstücken 1779.

Ich schrieb vor drey Jahren eine *Kindermörderinn* in
5 Form eines Trauerspiels, nicht für die Bühne, sondern
fürs Kabinet, für denkende Leser: man beehrte sie mit
Beyfall und mit Tadel, beydes in einem höhern Grad als
ich jemals erwartet hätte; dies freute mich, – Einige phi-
losophisch prüfende Kosmopoliten waren der Meinung,
10 eine auf Befehl der Polizey in einem wohlregierten Staat
monathlich wiederhohlte Vorstellung dieses Stücks könnte
nach und nach dies immer unnatürliche nie ganz will-
kührliche Verbrechen an seiner Wurzel untergraben und
ausrotten. Ein süsser Traum! welcher aber auch als sol-
15 cher schon der Menschheit zur Ehre gereicht, und einer
Probe wohl werth wäre, wenn unsre Zeiten es nur er-
laubten ihn zu realisiren. Daß dieses aber jetzt und gewiß so bald noch nicht thunlich seyn würde, davon war
niemand mehr überzeugt als ich. – In unsern gleißne-
20 rischen Tagen, wo alles Komödiant ist, kann die Schaubühne freilich, wie ihr schon mehrmalen vorgeworfen
worden, keine Schule der Sitten werden; dies von ihr zu
erwarten müssen wir erst dem Stande der unverderbten
Natur wieder näher rücken, von dem wir Weltenweit
25 entfernt sind. – Sollte dies je wieder geschehen können?
Ich hoffs; denn jede zu hart gespannte Feder schnappt
über und in ihre erste natürliche Lage zurück. Jetzt ist es
Mode tugendhaft *scheinen zu wollen*, vielleicht *wird* man
es einmal aus der nemlichen wichtigen Ursache. Jetzt hat
30 alles keusche Ohren, der größte Haufen freche und buh-
lerische Augen, und ein unreines Herz: Tugend sitzt den

---

1. Die Wiedergabe dieser Vorrede zu Wagners Theaterstücken 1779
folgt Erich Schmidts Neudruck, a. a. O., S. 109–111.

meisten blos auf den Lippen, und giebt alle andre Zu-
gänge der unverschämtsten Ausgelassenheit Preiß; wenn
sich das einmal umkehrt, wirds wieder besser werden. –
Eh es aber geschieht, mag sich jeder wohl versehn eine
Saite zu berühren, die so kützliche Empfindungen rege   5
macht. Es ist boshafft und grausam Leute zum Lachen zu
reitzen, die das Wasser nicht dabey halten können.

Aus diesen und andern Gründen hätt ichs niemals er-
wartet, daß meine *Kindermörderinn* irgendwo auf die
Bühne würde gebracht werden; und dennoch geschah es!   10
Der *Wahrischen* Gesellschafft gelang es in *Preßburg* ein
Publikum zu finden, vor dem sie eine Vorstellung der-
selben mit einigen wenigen, unbedeutenden zwar aber
nothwendigen – bey der Aufführung nothwendigen –
Veränderungen wagen durfte.   15

Mit dieser unerwarteten Art von Belohnung zufrieden
würde ich zeitlebens nie auf den Einfall gerathen seyn,
den Stoff besagten Trauerspiels für andre oder hiesige
Gegenden umzuarbeiten, wäre nicht schon vor zwey
Jahren eine *abgeänderte Ausgabe* desselben in *Berlin* von   20
dem jüngern Herrn *Leßing* – wie ich nachher erfahren –
ohne mein Vorwissen veranstaltet worden. Zu meinem
grossen Vergnügen fand die dasige Polizey auf Anrufen
des Nachtwächters in *Altona* für gut, die Vorstellung
derselben zu verbieten; wofür ich ihr den verbindlich-   25
sten Dank hier abstatte.

Indessen bewog mich doch dieses zu einer Zeit, wo ich
grade was bessers zu thun nicht gestimmt war, selbst
Hand anzulegen, und den in der *Kindermörderinn* be-
handelten Stoff so zu modificiren, daß er auch in unsern   30
delikaten tugendlallenden Zeiten auf unsrer sogenann-
ten gereinigten Bühne mit Ehren erscheinen dörfte. In
dieser Rücksicht hab ich den ganzen ersten Akt unterdrückt, und das nöthigste daraus, was der Zuschauer
unumgänglich wissen mußte, in den folgenden Auf-   35
zügen an schicklichen Stellen eingeschaltet. Die dem jüngern Herrn *Leßing* so anstößige Episode mit der Dose
habe ich beybehalten, weil ich sie mit der Entwicklung
schon in der Anlage zu sehr verbunden hatte; Und
weil – –   40

Da es nur denenjenigen neueren Trauerspiel-Dichtern
erlaubt ist traurige Katastrophen anzubringen, denen
man es bey jeder Scene ansieht, daß es ihr Ernst nicht ist,
und daß die Leute auf dem Theater nur so zum Spaß
5 sterben, so hab ich um allen meinen Zuschauern eine
schlaflose Nacht zu erspahren auch die Mühe über mich
genommen dem Ding am Ende eine andre Wendung zu
geben, wofür mir, wie ich gewiß weiß die meisten Dank
wissen werden.
10 Ich überreiche demnach hiemit dem geneigten Leser
keine *Kindermörderinn*, sondern *Evchen Humbrecht* ein
Schauspiel; unter diesem Titel ward es den 4ten Septem-
bris 1778. hier in *Frankfurt am Mayn* von der Seileri-
schen Schauspieler-Gesellschafft zum erstenmal aufge-
15 führt. Von der Vorstellung, und wie sie gelungen? sag
ich deswegen nichts, weil es mir jederzeit verdächtig vor-
kam, wenn der Verfasser die Schauspieler loben will; am
Ende macht er sich immer das gröste Kompliment.

[3]   Personen.

20 Martin Humbrecht. *Blauer Rock, scharlachene*
mit Gold bordirte Weste, schwarze Beinkleider und
Strümpf, ausser wo er Stiefeln anhaben muß, ein run-
des unfrisirtes Haar oder eine runde ungepuderte
Perücke.
25 Frau Humbrecht. *Cottunenes ungarnirtes negli-*
gée und Rock, schwarze Schürze, ein seidenes Halstuch.
Auf dem Kopf hat sie eine auf Straßburger Manier
geschnittne sogenannte Zughaube von Drap d'or mit
einer goldnen point d'Espagne und mit einer weissen
30 *Spitze eingesetzt.*
Evchen Humbrecht. *Weiß mit färbigen Bän-*
dern, ein fichu von Filet, wenig oder gar keine
Poschen; die Haare in Zöpfe [4] geflochten und auf-
gebunden. Im vierten und fünften Akt hat sie ein
35 *bonnet rond oder eine Backenkapp auf, und keine*

Bänder aufgesteckt. Die Zöpfe sind gepudert. Im letz-
ten Akt muß sie so armselig, als es der Anstand er-
laubt, gekleidet seyn.

L i s b e t. *Cottunener Jack, weisse Schürze, färbiger*
rother oder grüner Rock, gleichfalls in gepuderten   5
Zöpfen.

M a g i s t e r H u m b r e c h t. *Im ersten und zweyten*
Akt, ein graues oder braunes Kleid, schwarze West,
Beinkleider und Strümpf mit einem Rohr und den
Hut unterm Arm. Im vierten und letzten in einem   10
Frack von Biber und den Hut auf. Das Haar rund
und zierlich frisirt und weiß gepudert.

M a j o r L i n d s t h a l. *Dunkel blauer Rock mit schwar-*
zen Aufschlägen und Klappen, weisse Weste und Ho-
sen, weisse Knöpfe, [5] schwarz und silberne doppelte   15
Epaulettes, unbordirter Hut mit einem weissen Knopf
wie auf der Uniform, weisser Kokarde, Stiefel und
Sporn, Stock und Degen, Portepée wie die Epaulettes.
Kan ein Kreuz an einem blauen Band tragen.

L i e u t e n a n t v. G r ö n i n g s e c k. *Die nemliche*   20
Uniforme, nur ein Epaulette, Schuh und Strümpf, al-
lenfalls im ersten Akt Stiefelletten drüber. Im letzten
Akt kommt er bürgerlich und reisefertig angezogen.

L i e u t e n a n t v. H a s e n p o t h. *Eben so, nur gelek-*
ter in seiner Uniform.   25

F r a u M a r t h a n, *ohngefähr wie die L i s b e t, nur*
noch simpler oder so zu reden ärmer, eine weisse
Schlafkappe auf.

F i s k a l. *Ganz schwarz, eine Haarbeutel Perücke und*
silbernen Degen; ja nichts Karrikatur mäßiges!   30

[6] Z w e e n F a u s t h ä m m e r. *Gelbe Hoßen und*
schwarze Strümpf oder rothe Hoßen und blaue
Strümpf; einen meßingenen Degen, dünnen Haarzopf
etc. etc.

Der Schauplatz ist in S t r a ß b u r g ; *die*   35
Handlung währt beynahe ein Jahr.

[24] Einschub nach Erstfassung S. 27, Z. 11

v. G r ö n i n g s e c k. Zugegeben! das gilt aber nur der
einen Hälfte des menschlichen Geschlechts; – würden
Sie die andere mit eben der Bereitwilligkeit in diesen
5 Geheimnissen unterrichten?
M a g i s t e r. Nein, ich nicht! Dies ist eine von den heiligsten Mutterpflichten, in die kein Fremder einen Ein-
griff thun muß. Desto schlimmer, wenn diese sie ver-
säumen! Ich traue mir ganz gewiß zu behaupten, daß
10 von allen unglücklichen Schlachtopfern der Sinnlich-
keit, zwey Drittel dem Laster entflohn wären, wenn
sie seine Stimme, seinen Gang, seine falsche einschlä-
fernde Lockpfeife gekannt hätten, wenn sie –
v. G r ö n i n g s e c k. *(Sich vor die Stirn schlagend.)* Daß
15 ich nicht einige Täge früher diß überlegte! – Es hätte
mir – einem Freunde von mir, wollte ich sagen, sehr
zu statten kommen können.
[25] M a g i s t e r. Weh ihm, glauben Sie mir! Weh allen, die den unbefleckten Schleyer der Unschuld, den
20 selbst der ausgelassene Ovid respectiren muste, zu be-
sudeln oder gar zu zerreißen sich erkühnen! – Die
Rache des Himmels –
v. G r ö n i n g s e c k. *(Klopft ihm auf die Schulter.)*

[62] Einschub nach Erstfassung S. 45, Z. 20

25 – Die Birne die einmal vom Baume herunter gefallen,
kann jeder mit Füssen treten. Schwer soll sie mir, da
ihr Geheimniß in meinen Händen ist, den Sieg auch
nicht machen. –

[130]   Vgl. Erstfassung S. 80, Z. 4 ff.

30 È v c h e n *allein.*
[. . .]
*(nimmt ein Messer vom Tisch, wirfts gleich wieder
hin)* Nein so lang's mich so bittend ansieht, ists mir
unmöglich.

Eya Pupeya!
Schlaf Kindlein! schlaf wohl!
Schlaf ewig wohl!
[131]   Ha, ha, ha, ha, ha! *(wiegts auf den Arm)*
Dein Vater war ein Bösewicht   5
Hat deine Mutter zu Grunde gericht.
Eya Pupeya!
Schlaf Kindlein schlaf wohl!
Schlaf ewig wohl!
Ha, ha, ha, ha, ha!   10

Schläfst du, mein Liebchen, schläfst? – wie sanft! bald
beneid ich dich Bastart, so schlafen Engel nur! – Was
mein Liedchen nicht konnte! – säng mir doch auch jemand in Schlaf so! – Ha jetzt ists Zeit! *(küßt das
Kind, und legts auf das Bette: indem sie zitternd und*   15
auf den Zehen hervor wankt, das Messer vom Tisch
hohlt und wieder zurück schleicht, sagt sie) Schlaf,
Gröningseck! schlaf, schlaf ewig. – bald werd ich auch
schlafen – schwerlich so sanft einschlafen als du, aber
wenns einmal geschehen ist, ists gleich viel – *(Man hört* 20
jemand) Gott! wer kommt? – *(Im nemlichen Augen-*
blick tritt ihr Vater herein; das Messer entfällt ihr mit
einem Schrey, sie sinkt neben das Kind aufs Bette, mit
dem Gesicht aufs Kopfküssen.)

Fünfter Auftritt.   25

Humbrecht, Frau Marthan, Evchen.

Wo? wo ist sie, mein Evchen? – meine Tochter, meine
einige Tochter? *(Erblickt sie auf dem Bett)* Ha! bist du
da, Hure, bist da? – Hier Alte! dein Geld! *(wirft
einen Beutel hin, Fr. Marthan hebt ihn auf,* 30
nimmt ein Stück Geld heraus, wirft das übrige hin.)
[132] Fr. Marthan. Vor allem muß ich fürs Kind
sorgen. *(läuft hastig ab.)*

Sechster Auftritt.

Humbrecht, Evchen.

Hängst den Kopf wieder? hasts nicht Ursach Evchen,
's ist dir alles verziehn, alles! – *(schüttelt sie)* Komm!
5 sag ich, komm! wir wollen Nachball halten – ja, da
möcht man sich ja kreuzigen und segnen über so ein
Stück: wenn der Vater zankt, so laufts davon, giebt
er gute Wort, so ists taub. – *(schüttelt sie noch heftiger)* Willst reden? oder ich schlag dir das Hirn ein! –

10 ## Siebenter Auftritt.

Frau Humbrecht, Humbrecht, Evchen.

Fr. Humbrecht. *(läuft hastig herbey.)* Gott! *(reißt
ihn zurück)* thust du doch wieder als wenn du einen
Ochsen vor dir hättst! – kein Wunder wenn sie die
15 Gichter bekäm. – Kannst du nicht ordentlich reden?
Humbrecht. Hast Recht, Alte! vollkommen Recht!
– wart wie mach ichs? *(kniet nieder vor seiner Tochter)*
liebs, guts Evchen! hab doch Mitleiden mit deinem gedemüthigten Vater! verstoß ihn nicht [133] ganz nimm
20 ihn zu Gnaden wieder auf! – sieh auf den Knien liegt
er vor dir und bittet dich darum – Er will dir ja gern
verzeihen, vergibs ihm doch auch, daß er dir das Leben gegeben hat.
Evchen. *(die sich auf die letzte langsam aufrichtet,
25 erblickt ihre Mutter, die sie vorhin in der Betäubung
nicht an der Stimme erkannt hat, ruft mit Entsetzen)*
Ich bin des Todes! der Geist meiner Mutter! *(sinkt in
Ohnmacht hin, die Mutter stürzt ihr in die Arme.)*
Humbrecht. Der Geist! ist sie närrisch!
30 **Fr. Humbrecht.** Ich selbst bins, meine Tochter!
nicht mein Geist: komm zu dir. Evchen! erhohl dich,
dann sollst du erfahren, daß ich von ganzem Herzen
noch deine Mutter bin. – Himmel sie stirbt mir in den
Armen! *(reibt ihr den Puls und Schläfe)* Mein Kind!
35 meine Tochter! *(Humbrecht greift nach Wasser das auf
dem Tisch steht, seine Frau nimmts ihm aus der Hand.)*

Achter Auftritt.

Fr. Marthan, vorige.

Fr. Marthan. (*die beym hereingehen die letzten
Worte gehört hat.*) Ihre Tochter! ists möglich! – Ist das
seine Frau hier? gewiß?

[134] **Humbrecht.** Der sieht sie doch eher ähnlich
als einem Meerwunder, das ihr aus ihr macht.

Fr. Marthan. So ist sie denn nicht begraben worden,
wie die Leute sagten? nicht vor Kummer gestorben? –

Fr. Humbrecht. Ja, wenn der Kummer um- 10
brächte –

Fr. Marthan (*steckt dem Kind etwas in Mund.*) So
hab ich doch vielleicht noch wahr prophezeyt! – Du
lieber Gott! was die Leute doch alles erdenken können!
Immer machen sie aus einer Laus einen Elephanten. – 15
(*giebt dem Kind wieder was*) Gott stärke dich mein
Püpchen! –

Humbrecht. (*wird das Kind gewahr.*) Da! was ist
da? ein Kind! ha! wies lächelt! – *dein* Kind, Evchen?
soll auch *meins* seyn! *Mein* Bastert, ganz allein *mein*, 20
wer sagt, daß er *dein* ist, liebs Evchen! dem will ich
das Genick herumdrehn.

Evchen. (*die sich nach und nach erhohlt hat, und mit
einem Thränenguß ihre Mutter umarmt.*) Ists möglich?
Sie verzeihn mir liebste! beste! 25

[135] **Fr. Humbrecht, Humbrecht.** (*beyde zugleich.*) Ja, ja doch! alles! (*die Mutter umarmt sie.
Humbrecht setzt noch hinzu:*) Hab dirs vorhin
ja schon gesagt, aber da hattest du keine Ohren: –
Frau sieh dein Enckelchen! (*Fr. Humbrecht* 30
nimmts der Marthan ab.)

Neunter Auftritt.

Magister, vorige.

Magister. Bald hätt ich das Haus nicht gefunden.
So, Herr Vetter! das ist brav! ich sehe, sie haben mei- 35
nen Rath gefolgt, und ihrer Tochter verziehen.

H u m b r e c h t. Das hätt ich auch ohn ihn gethan, Vetter! – ein Vater bleibt immer Vater, und ists da oft
am meisten, wo ers am wenigsten scheint.

M a g i s t e r. Jetzt ist es mir doppelt lieb, sie so dis-
5 ponirt zu finden; sie sollen gleich erfahren warum?
Nur muß ich mein Bäschen bitten auch zuzuhören; es
geht sie am meisten an.

[136] E v c h e n. *(die sich bey seinem Eintritt die Thränen abgetrocknet.)* Mich? – auf dieser Welt geht mich
10 wenig mehr an, Herr Magister! ich schwörs.

H u m b r e c h t. Für nichts, für nichts geschworen, meine Tochter! – ich schwur auch dir Arm und Bein entzwey zu schlagen; und jetzt bin ich, Schwur hin,
Schwur her! doch froh, daß ichs nicht gethan habe.

15 M a g i s t e r. So denk ich auch; *ein* Umstand kann viel
ändern. – Hören sie nur! – Sie lieben den Gröningseck,
Bäschen?

E v c h e n. Ja, wie ich den Satan liebe! hab mich vor
beyden gehütet, und von beyden schon anführen las-
20 sen.

M a g i s t e r. Sie liebten ihn doch ehemals; sonst wären
sie nicht – –

E v c h e n. Ja, da wußt ich aber nicht, daß er mich zur –

M a g i s t e r. Ich weiß alles schon: das war aber weder
25 sein Vorsatz noch weniger seine Schuld –

[137] E v c h e n. So! – sind sie auf einmal sein Advocat? – wie lange wohl noch? Hier *(aufs Kind deutend.)* ist meiner. Jeder Zug, jede Miene dieses unschuldigen Waysen ist sein Ankläger.

30 M a g i s t e r. Ich bin sein Advocat nicht allein; ich
meyne in ihrem eignen Herzen wird sich noch einer
vorfinden. Kurz zu seyn, Gröningseck liebt sie noch
eben so zärtlich, als je; eine tödtliche Krankheit hielt
ihn ab, auf die bestimmte Zeit einzutreffen – Von den
35 Brief den ich ihnen vorgelesen, Herr Vetter! weiß er
kein Wort; ich wieß ihm den Umschlag, da fand sichs,
daß es des Lieutenant Hasenpoths Hand und Siegel
ist. Er zeigte mir andre Briefe von dem nehmlichen,
die voller Unwahrheiten von Evchen waren: Da er
40 selbst Unrath merkte, machte er, sich kaum halb wie-

der hergestellt, auf den Weg. Vor einer Stunde stieg er
im Raben ab, und ließ mich zu sich rufen, – wir sahen
sie in größter Eile vorbeylaufen, muthmaßten die Ursache und giengen ihnen von weitem nach. – Wollen
sie ihn selbst sprechen.   5

H u m b r e c h t. Wenn er sie heyrathen, ihr die Ehre
wieder geben will Ja! sonst soll er mir, wenn ihm Nas
und Ohren lieb sind, nicht vors Gesicht kommen.

[138] M a g i s t e r. Das will er; Er hat deswegen seinen
Abschied genommen.   10

E v c h e n. Unmöglich! er wär unschuldig!

M a g i s t e r. Er ist es! kanns ihnen beweisen.

E v c h e n, *(fällt kniend auf die Erde.)* Guter! guter
Himmel! Dank, lebenslangen Dank für deine Hülfe!
Wie nah, wie schaudernd nah stand ich am Rande des   15
endlosesten Abgrundes, aus dem nichts mich hätte retten können. Mir schwindelt wenn ich nur von weitem
daran denke. – Dank, lebenslangen Dank! – *(steht
auf)* Sie sind betroffen seh ich? zu meiner eignen Be-
strafung muß ich meine Schande bekennen. Der Brief   20
hier! *(wirft ihn in die Stube)* – der Teufel hat ihn
geschrieben! – meine eigne Herzensunruh, die Furcht
vor ihm, mein Vater, der Gedanken, meine Mutter
gemordet zu haben – dies, und o was alles noch mehr!
brachte mich in Verzweiflung – ich wollte mir aus der   25
Welt helfen, und hatte nicht Entschlossenheit genug
selbst Hand an mich zu legen; jetzt könnts der Henker thun! – Wären sie einen Augenblick später gekommen, mein Kind wäre jetzt todt! todt durch [139]
mich! – *(Giebt dem Messer einen Tritt damit es ihr*   30
aus den Augen fährt.)

M a g i s t e r und Fr. H u m b r e c h t *(zugleich).*
Gott ists möglich! ⎰ das hätten Sie thun können!
              ⎱ das hättest du thun können!

Fr. H u m b r e c h t *(allein.)* Das wären mir herrliche   35
Christfeyertäge geworden!

*(H u m b r e c h t steht mit geschlungenen Ärmen, guckt
E v c h e n, dann das Kind starr an; v o n G r ö -
n i n g s e c k stürzt noch im Reisehabit und Pelz herein.)*

Zehnter Auftritt.

v. Gröningseck, vorige.

v. Gröningseck. Wie bestürzt alle! wie blas! was
ist zu thun hier? – was giebts? *(Evchen fliegt in seine*
5 *Arme.)*

Humbrecht. Beynah hätt es ein Bissel Arbeit für
den Stoffel gegeben, sonst nichts – Gott ich meyn der
Münsterthurm läg mir auf dem Herzen, so schwer fällt
mir der Gedanke schon auf. Dann hätt [140] ich nur
10 – auch Rattenpulver nehmen können. – Hier! *(den
Lieutenant zum Kind führend)* hier! wenn sie ein
Vaterherz haben: Seine Rabenmutter wollts eben er-
morden!

v. Gröningseck. Wie Evchen, sanftes Evchen! sie
15 hätten mit eigner Hand ihr Kind – mein Kind – nicht
möglich!

Evchen. Nur zu möglich, mein Herr! das ist eben der
Fall, der mir so sehr geahndet hatte, – aber ehe sie
mir weitere Vorwürfe machen, lesen sie den Brief
20 dort, – und dann sollen sie sprechen.

v. Gröningseck. *(hebt ihn auf.)* Auch wieder die
Hand v. Hasenpoth! *(sieht nach der Unterschrift.)* in
meinem Namen! – *(guckt ihn über)* das andere kann
ich mir denken. Wart Kanaille! mit deinem Blut sollst
25 du es abbüssen, noch eh eine Stunde vergeht. O Evchen! wie freu ich mich Tag und Nacht gereißt zu
haben; so sauer es mir auch wurde! – *(Nach einer*
Pause den Brief zerreissend) Der niederträchtige, feige
Verräther! – Glauben sie jetzt bald, Magister, daß es
30 Fälle giebt wo Selbstrache zur Pflicht wird? *(Magister*
zuckt die Schulter) Wo ist der Staat, in dem solche
Un-[141]geheuer, solche Hasenpoths, die unter der
Larve der Freundschaft ganze Familien unglücklich
machen, nach Verdienst bestraft, werden? – Ha! wie
35 will ich mir wohl thun! mit welcher Herzens Wonne
will ich mich in seinem Blute herumwälzen.

Magister. Es wäre menschlicher, glaub ich, wenn sie
darauf bedacht wären das geschehene gut zu machen,
als Verbrechen mit Verbrechen zu vergelten.

H u m b r e c h t. So denk ich auch, Herr! vom Flecke
   wenigstens darf er mir nicht gehen, biß er versprochen
   hat, so bald als möglich meinem Mädel da einen Mann
   und dem Buben dort einen Vater zu schenken. Will er
   sich dann noch, wenn diß geschehen ist, vor den Kopf   5
   schiessen lassen, so mag *ers* verantworten, daß es nicht
   ein Jahr früher geschehen ist.
F r. H u m b r e c h t. Immer noch so hitzig Martin!
   *(spricht wieder mit der M a r t h a n und spielt mit
   dem Kind.)*   10
v. G r ö n i n g s e c k. Sie haben Recht meine Herren!
   der Kerl ist zu niederträchtig, als daß er meiner Rache
   wür-[142]dig seyn sollte. – Komm Evchen! Weib meines Herzens! Das warst du schon die ganze Zeit her,
   sollst es auch bald öffentlich vor den Augen der Welt   15
   werden. So bald wir kopulirt sind führ ich dich auf
   meine Güter, wo ich aus Vorsicht vorgegeben habe, ich
   wäre schon verheyrathet. Da will ich Zeitlebens allen
   meinen Witz, alle meine Geisteskräften aufbieten, dich
   so glücklich zu machen, als unaussprechlich unglücklich   20
   du beynahe durch mich geworden wärst. – Alle unsere
   Verwandten hier fordere ich auf von Zeit zu Zeit
   Zeugen der Zärtlichkeit zu seyn, mit der ich dir und
   der theuren Frucht unserer Liebe bis ins Grab begegnen werde. – Sie lieber Magister müssen uns begleiten;   25
   ihr freundschaftlicher Rath möchte mir hie und da
   noch sehr nöthig seyn. – Hätten wir unsere erste
   Unterredung – ich erinnere michs noch gar wohl, wie
   schwer sie mir auffiel! – hätten wir sie acht Tage
   früher mit einander gehabt, so würd ich mich wohl   30
   gehütet haben, auf einem Nebenweg das Glück zu
   erschleichen, das mich im Besitz meiner Geliebten erwartet. – Sie meine Schwiegereltern werd ich durch
   Handlungen, nicht durch Worte zu bewegen suchen, das
   vergangene zu vergessen, und zu vergeben: indessen   35
   danke ich ihnen herzlich für die Einwilligung. –
[143] H u m b r e c h t. Wie? was? danken! Will er mich
   noch foppen Herr Sohn? danken für die Einwilligung!
   – als wenn ich eine andere Wahl hätte! – Ich merke
   aber wohl wie das gemeynt ist; *ich* soll *ihm* danken,   40

daß er mein Mädel wieder zu Ehren will bringen,
nachdem ers geschändet hat, nicht wahr? – Es soll auch
morgen des Tags geschehen in baarer klingender Sorte.
Sind tausend grose Thaler fürs erste genug?

5 v. G r ö n i n g s e c k. Ums Himmels willen nicht in diesem Ton! Machen sie mir die bittersten Vorwürfe!
immerhin! ich hab sie verdient: nur keine kalte Be-
leidigungen –

H u m b r e c h t. Still Herr Sohn! still nur! – noch mag
10   ich gar nicht viel hören: mit der Zeit vielleicht mehr.
Wie gesagt, tausend Thaler fürs erste: sind die nicht
genug, so steht mein Haab und Gut zu Diensten: nur
mach er unser Evchen glücklich, sonst schützen ihn
hundert tausend vor meinem gerechten Zorn nicht.
15   (zur F r. M a r t h a n) Für euch Frau werd ich auch
sorgen; geht jetzt und hohlt uns einen Fiacker.

[144] F r. M a r t h a n. Zehn für einen! (zu E v c h e n
im Abgehn.) Sagt ich nicht, sie würde noch glücklich
werden?

20 E v c h e n. Dem Himmel seys gedankt, daß sie wahr
gesagt! und doch stands so und so – wie man eine
Hand umdreht. – –

H u m b r e c h t. So stehts mit der Tugend jedes Mädels,
das mit vornehmern als es ist parties de plaisir macht;
25   und selten nur gelingts einem von so vielen am Ende,
wie dir, mit einem blauen Auge davon zu kommen.
Merke dirs! – Wenns auch nur für deine künftige
Tochter wäre.

ENDE.

DOKUMENTE ZUR WIRKUNGSGESCHICHTE

Boie an Bürger

Hannover, den 1. 9. 1776

Ein Trauerspiel *Die Kindermörderin* (von Wagner glaub ich) must du lesen. Es ist zu roh und ungearbeitet nach dem neusten Geschmack, hat aber starke Naturscenen. Ich hab es nicht selbst, es wird aber schon in G[öttingen] seyn.

Bürger an Boie

Wöllmershausen, den 15. 9. 1776

Wagners Kindermörderin hab ich noch nicht gesehn. Der Titel aber frappirt mich, weil ich ein dramatisches Süjet unter eben dem Titel lang im Busen herumgetragen habe. Ich wollte das Wagners Stück schlecht wäre. Lenz ist mir neülich mit seinen Soldaten auch in die Queere gekommen und hat viele Situationen ordentlich aus meiner Seele abgeschrieben.

Boie an Bürger

Hannover, den 27. 9. 1776

Wagners Kindermörderin laßen sich, wie Lenzens Soldaten, übertreffen und sollen dich nicht abschrecken. Was dramatisches mögt ich von dir lesen. Wie stehts um die Ballade Die Kindermörderin? [...] Sprickmann hat auch eine Kindermörderin gemacht. Wenn du nicht bald mit Deiner kommst, wirds immer schwerer.

Bürger an Boie

Wöllmershausen, den 17. 10. 1776

Wagners *Kindermörderin* hab ich gelesen und mich gefreüt, daß er meine Idée nicht ergriffen hat. Der Titul machts nicht aus. Indessen hat W.'s Stück viel treliches.

Briefe von und an Gottfried August Bürger. Hrsg. v. Adolf Strodtmann. Berlin: Paetel 1874, Bd. 1, S. 337, 339, 341 f., 347.

Karl Lessing an Gotthold Ephraim Lessing

Berlin, den 14. 12. 1776

Hast Du die Kindermörderin gelesen? Ich habe dieses Schauspiel, das von Lenzen seyn soll, für das hiesige Theater abgeändert, und diese Abänderung schicke ich Dir gedruckt. Wenn Du aus diesem Fache jetzt nichts liesest, so will ich Dir nicht zumuthen, daß Du damit anfangen sollst. Liesest Du aber, so bitte ich Dich, das Stück nicht allein zu lesen, sondern mir geradezu zu sagen, was Du dabey gedacht.

Gotthold Ephraim Lessing an Karl Lessing[1]

Wolfenbüttel, den 8. 1. 1777

Deine Kindermörderin habe ich mit Vergnügen gelesen, und es ist unstreitig, daß sie nur so auf das Theater gebracht werden kann. Wenn nur die ersten Acte nicht (ein wenig) dabey gelitten und ein wenig (langweilig) leer geworden wären! Ich dächte, Du hättest früher (müssen) anfangen und im ersten Acte uns den (ganzen) Hausstand des ehrlichen Metzgers, nebst dem gutherzigen Betragen seiner ganzen Familie gegen den Lieutenant zeigen sollen, so daß das Verbrechen zwischen dem (zweyten und dritten) ersten und zweyten Acte vorgegangen wäre. etc. (Doch ein solcher Rath ist leichter als die Ausführung; und ich freue mich) – –

Übrigens sind (viel) viele gute Sachen in (der) Vorrede gesagt, die doch (auch deine) von Dir ist? Lenz ist immer noch ein ganz andrer Kopf, als Klinger, dessen letztes Stück ich unmöglich habe auslesen können[2].

Gotthold Ephraim Lessings *sämtliche Schriften*. Hrsg. v. Karl Lachmann, besorgt v. Franz Muncker. Leipzig: Göschen 1907, Bd. XXI, S. 148. Bd. XVIII, S. 220 f.

1. Im Brief G. E. Lessings sind in Klammern die Abweichungen der Konzeptfassung eingeschoben.

2. Klingers letztes Stück war der in Karl Lessings Vorrede genannte *Simsone Grisaldo*.

J. M. R. Lenz

Leopold Wagner,

Verfasser des Schauspiels von neun Monaten im Wallfisch-
bauch.[1]

Eine Matinee.[2]

*(Der Schauplatz stellt den Bauch eines Wallfisches vor mit
allen dazu gehörigen Ingredienzen).*

Leopold Wagner *(stürzt herein über Hals und Kopf).*
Potz Millius! was eine Hast und Tumult –
                              (sich umsehend)
Ganz anders als an meinem Pult.
'S pflegt doch sonst von Felsen und Höhen
Berg hinab immer sachte zu gehen,
Hier stürzt man oberst zu unterst hinein
'S muß ein rechter Saumagen seyn.
*(es kommt ein großer Schwall Wasser den der Wallfisch ein-
                              schluckt).*
Läßt das Vieh noch die Hinterthür offen
Wäre bald an seinem Schnaps ersoffen.
                              (schüttelt sich)
Ist mir so frostig und so weh
Hätt ich doch hier nur eine Tasse Thee,
Oder Stahl mir Feuer an zu schlagen
Hab nie noch geraucht im Wallfischmagen,
Vielleicht den Tabacksrauch er scheut
Und wieder ans Land hinaus mich speit
                    (schlägt die Hände ineinander)
O wie schlimm habens doch die Frommen!
Weiß nicht, wie hier hineingekommen.

1. Das Spottgedicht wird nach Erich Schmidt in Weimar entstanden
sein, wo Lenz die Monate April bis Dezember zubrachte.
2. Die Bezeichnung ›Matinée‹ wird bei Riemer so erklärt: »So hießen
die launig-satyrischen Gedichte, worin die schönen Geister Weimars einander ihre Eigenheiten, Gewohnheiten, Arten und Unarten in oftmals
derbem Scherze vorzurücken liebten.« (Friedrich Wilhelm Riemer, *Mit-
theilungen über Goethe.* Berlin: Duncker und Humblot 1841, Bd. II,
S. 22 Anm.)

Mit Gunst zu melden der Gott Apoll
War, glaub ich, betrunken oder gar toll,
Mich hier in einen Fischbauch zu zwingen
Um mein neu Drama zu Ende zu bringen.
Ist doch weder Wein noch Bier
Zur tragischen Begeisterung hier,
Soll mein Exilium so lang dauern,
Kann wohl hier zehn Jahre lauern,
Eh hier ein Gedanke reift
Man am Wasser zum Fisch sich säuft.
Will doch einmal mit List probiren,
Ob ich mich kann hinaus produziren,
Will ihm kützeln die Galle sehr
Daß er frißt keinen Wagner mehr. – –

> Jakob Michael Reinhold Lenz, *Gesammelte Schriften.*
> Hrsg. v. Ludwig Tieck. Berlin: Reimer 1828, Bd. III,
> S. 261 f.

(Heinrich Leopold Wagner)

Berlin.

Die Kindermörderinn, wie sie abgeändert auf dem teutschen Theater zu Berlin im Jenner 1777 aufgeführt worden ist, bey Himburg, 110 S. in 8. nebst 13 Seiten Vorrede.

In ein genaues Detail dieses Stücks, so wie es im Schwickertschen Verlag erschienen ist, können und wollen wir uns hier nicht einlassen. In dem *Theaterjournal für Teutschland* [. . .][1] würde uns aber ein solches sehr willkommen seyn. Hier begnügen wir uns, die vornemsten Abänderungen historisch und treulich anzuzeigen. Mehrerer Bequemlichkeit wegen wollen wir die beyden Stücke nach Manier der Handwerksbursche, durch ihren Geburtsort unterscheiden: *B.* bedeutet also die Berliner abgeänderte, *L.* aber die erste Leipziger Originalausgabe. Nun zur Sache. – Den ganzen ersten Akt der *L.* Ausgabe hat der *B.* als *zu* schmuzig, *zu* plump, *zu* unanständig verworfen und weggeschnitten. Wir wollen nicht hoffen, daß der Abänderer den über-

---

1. Die Auslassung betrifft eine lange Ankündigung von Reichardts *Theaterjournal.*

all durchscheinenden hohen moralischen Zweck des Verfassers verkannt oder übersehn habe; und doch scheint es so: sonst hätt er gewiß den allem Ansehn nach nur zur Rechtfertigung des ersten Akts, dem zweyten eingeschalteten Dialog zwischen *Gröningseck* und dem *Magister* (der S. 24. 25. in der *B.*, und S. 34. 35. der *L.* zu finden ist) nicht beybehalten; diese ganze Scene hat nun keinen andern Zweck mehr, als dem Zuschauer was vorzuplaudern, bis wieder andre Personen aufzutreten geruhen. Doch dies ist noch das wenigste! Daß sich aber der *B.* ohne Noth einfallen ließ, einen ganz neuen Akt, der mit dem Tone des übrigen sonderbar kontrastirt, an die Stelle des vorigen einzuflicken, ist fast unverzeihlich. Warum nicht lieber mit dem zweyten Akt gleich angefangen, und das, was der Zuschauer nicht errathen kann, und doch wissen muß, dem siebenten Auftritte, wo *Evchen* mit ihrer *Mutter* allein ist, einverleibt? so wär es doch wol natürlicher gewesen, und allenfalls hätte der Abänderer bey den vielen Freyheiten, die er sich herausnimmt, auch noch einen Monolog veranstalten können! Von den Widersprüchen, die der erste Akt des *B.* in dem ganzen Gange des Stücks gezeugt hat, werden wir besser unten sprechen. – Die zweyte Hauptänderung hat die Episode mit der gestohlnen Dose betroffen. Es ist hier nicht die Frage, ob der Hr. Verfasser diese Episode just anlegen *muste*, sondern ob sie, *so wie sie* angelegt, ins Ganze verflochten ist, Wirkung thut, oder Schlaf erweckt? Und da behaupten wir, unserm Gefühl nach, das erstere. Andrer Züge, die sie veranlaßt – (zu wie viel treffenden, passenden Wahrheiten, die ohne sie nicht gesagt werden konnten, auch in der Abänderung nicht gesagt werden, hat sie dem Dichter nicht Stoff gegeben!) andrer Züge nicht zu gedenken, möchten wir sie schon ledig und allein der Entwicklung wegen im fünften Akt nicht missen. Eben dies alberne linke Tabagiengeschwätz, dieser elende Witz, wie's der *B.* in seiner kultivirten Landessprache (S. 12 der Vorrede) sehr höflich zu nennen beliebt, öffnet doch dem armen, gebeugten Vater, der sein Unglück nur noch muthmaßt, nicht gewiß weiß, vollends die Augen, treibt sein ohnehin sehr entzündbares Blut in lichte Flammen, giebt Gelegenheit zu dem sehr natürlichen Irrthume des Stubenmädchens, das bey Erblickung des Fiskals sich ein-

bildet, er sey nur seinetwegen da, und zeugt folgenden
Dialog:

Humbrecht zur *Lißel*, (die ihn um Gnade bittet, ohne
daß er weiß, warum? NB. nachdem er die ganze Geschichte
vom Ball, Frühstück und Schlaftrunk, das *Wo* und das
Wann bey Gelegenheit der gestohlnen und wiedergebrachten
Dose erfahren hat) Was willst du? Hat dich deine Mutter
ins Hurenhauß geführt?

Lißel. Ach nein! so gottsvergessen ist sie nicht.

Humbrecht. Hörst's, Frau Humbrechtinn! Hörst's! – Ein
schönes Liedchen! – will dirs noch oft vorsingen.

Der Alte ist auch seiner ganzen Schilderung nach, Manns
genug, Wort zu halten; und so konnten wir uns den ohne
diesen Zug sehr unwahrscheinlichen schnellen Tod der Frau
Humbrechtinn doch noch als möglich denken. Wenn innrer
Gram durch Vorwürfe derer, die uns am nächsten sind, noch
sublimirt wird, so kann er gar bald zu Gift werden. Daß
aber eine Mutter, weil ihre Tochter zu früh seyn wollte,
was sie ist, gleich in den ersten fünf Wochen – aus Ver-
druß – wie die *Humbrechtinn* beym Berliner – sterben sollte,
ist längst ausser Mode gekommen. *Die vielen Mütter bewei-
sens!* – *Major Lindsthal,* dem man's an jeder Bewegung ansieht, daß er von der Pick auf gedient hat, der ganz Soldat
ist, kommt beym *L.,* wenn uns nicht alles trügt, mehr um
die Geschichte vom *Wallroth* und Komp. auszuschütten zum
Gröningseck, als in der Absicht, ihm seinen Urlaub zu bringen. Das hätte er durch seinen Bedienten auch können thun
lassen. Dem Hrn. *B.* hat ers also zu verdanken, daß er ihn
zum Briefträger herabgesezt hat, *und damit Holla!* – Am
erbärmlichsten ist dem Lieutenant von *Hasenpoth,* den man,
ohne eine Ursache anzugeben, *Harroth* umgetauft hat, mit-
gespielt worden. In der *L.* Ausgabe spielt er zwar freylich
keine *schöne* Rolle, bleibt aber dennoch sich, seinen Gesin-
nungen und seinem Stande gleich. Beym *B.* weiß er selbst
nicht, was er will; ist nicht schwarz und nicht weiß, nicht
Mensch, nicht Teufel, schwadronnirt bald wie ein Erzliber-
tin, und deraisonnirt gleich drauf trotz einem Schulmeister.
Der Herr Abänderer mag vielleicht wo (in welchem theatralischen güldnen A B C, gilt gleich!) die Regel gelesen haben:
Man müste keinen ganz schlechten Karakter aufs Theater

bringen, weil in der ganzen weiten Welt kein Mensch ath-
met, der sein ganzes Leben durch schlecht gehandelt, nichts
Gutes geäussert hätte, durchaus Bösewicht gewesen wäre.
Vortrefflich, mein Herr! Wenn also ein Dichter sichs in Sinn
kommen ließe, den satanischen Giftmischer aus Zürch anschauend darzustellen, so muß er gar nicht vergessen, ihm,
eh er ihm die Larve abzieht wenigstens auf der einen Seite
eine gute Portion Schminke aufzulegen, damit er doch nicht
ganz häßlich ist. – Ohne zu scherzen, scheint uns obige Regel
nur in gewissem Betracht wahr. Ganz vornen ins hellste
Licht solche schwarze Seelen zu stellen, möchte bey unsern
ekeln, tugendlallenden, hyperempfindsamen Zeiten nicht
rathsam seyn – ohneracht dieses vielleicht der beste Weg
wäre, bey der zwoten oder höchstens dritten Generation
von heur an gerechnet, alle Zuchthäuser und Vestungen, wohin der *B.* alle solche Leute vom Theater verwiesen haben
will, wo nicht ganz überflüßig doch sehr geräumig zu machen – wenn sie aber vollends nur im Schatten angebracht
sind, nur dienen, andre hervorstechender zu machen, so sehn
wir gar nicht, warum sie mißfallen sollten? *Hasenpoth* han-
delt bey Gelegenheit seines Freundes und seiner Liebe sehr
schlecht; er hält alle Frauenzimmer für Nickel, weil er lauter
Nickel kennen gelernt, aufgesucht hat; er stürzt *Evchen* und
ihre ganze Familie ins Unglück, weil er, ohne eben *diese*
gräßlichen Folgen zu muthmaßen, durch seine Ränke seine
eigne Lüste zu befriedigen, und die ihm ungleich scheinende
Heyrath zu hintertreiben gedenkt. *Dies* ist freylich nicht zu
entschuldigen, vielweniger zu billigen, es ist aber doch
Wahrheit, Natur, Karakter, wenns auch *böser* Karakter ist.
Zudem ists ja auch deswegen, weil er in *diesem* Punkte
schlecht denkt, noch nicht ausgemacht, daß er keine einzige
gute Eigenschaft habe! Eben so logisch richtig könnte man
bey jedem, den man zu Fuß gehn sieht, den Schluß machen,
er müste nicht reiten *können*, weil er *jezt* geht. – Wie hat
denn aber der *B.* diesen Karakter verbessert? (denn so be-
scheiden er sich im Ganzen diesen Ausdruck verbittet, so
deutlich liegt es doch am Tage, daß dies bey dieser Rolle
seine Absicht gewesen ist) – Moralisch besser ist er kein
Haar, vielmehr wird er dadurch, daß er dem unschuldigen
Magister das gefallne Mädchen zuschustern will, nur noch

verächtlicher, und in allen den Scenen, die durch diesen Einfall zwischen ihm und dem *Gröningseck*, und hernach mit dem *Humbrecht* veranlaßt werden, lächerlicher und unerträglicher. Der Hr. Verf. hat ihn, wie es scheint, mit großem Vorbedacht nicht wieder auftreten lassen, er würde, wenn er beym Leipziger noch einmal erschienen wäre, Abscheu erregt, revoltirt haben; beym *B.* erweckt seine Wiederkunft S. 84–90 die gräßlichste Langeweile. Wer den Ort, wo die Kindermörderinn spielt, nur halbweg kennt, der weiß, daß der Stab allda nicht lutherisch ist. Wie herzlich muß er dann nicht lachen, wenn der *B.* dem Marschall einen evangelischen Geistlichen andichtet, den Magister ihm zum Pfarrer vorschlagen, ihm gar seine Predigten bey Tische vorlesen lassen will? vorgiebt, er hätte ihn schon predigen gehört? etc. Ein Stockfranzos einen teutschen lutherischen künftigen Geistlichen!!! – Das wären ungefähr die Hauptänderungen. Nun wollen wir auch noch ein paar geringere anzeigen. Gleich zu Anfange des zweyten Akts[2] sagt Frau *Humbrecht* beym Leipziger zu ihrem Manne: »So sag doch, warum? Du hast keine Ursach über mich zu klagen; ich verschleck dir nichts, ich versauf dir nichts, ich geh nicht neben hinaus.« – Nun fragen wir, ob dies Trotzen auf ihre negative Tugend nicht ganz in der Natur liegt, den meisten Personen vom Mittelstande, die alle Pflichten erfüllt zu haben sich einbilden, wenn sie der gröbsten Laster sich enthalten, nichts *Böses* thun, nicht ganz eigen ist? Der *B.* hat die unterstrichenen Zeilen S. 14, durchgestrichen. – S. 28 in der *L.* sagt *Humbrecht*: »Die mögen meintwegen auch ein Gewissen haben, das größer ist, als die *Metzger Au* draußen!« Der *B.*, der von der Metzger Au (einer großen Ebene vor der Stadt) sich keinen Begriff machen konnte, sezt statt desselben S. 18, »das größer ist, als eines *Metzgers seyns!* Optime Orbili! – S. 21 *B. A.* sagt *Gröningseck*: »Es geht den Herrn *Gelehrten* sehr oft so;« in der *L.* heists *Schwarzröcken*, und natürlicher; gegen diese kann ein Officier, der *fait* daraus macht, liederlicher zu scheinen als er ist, gar wohl eingenommen seyn, nicht so gegen jene. – Eben so fad sind S. 25 und 26, die albernen

2. Wagners Zitate weichen in Lautstand und Zeichensetzung geringfügig von der Fassung im Drama ab.

Komplimenten, die *Gröningseck* und der *Magister* sich her-
leyren. Weit passender ist S. 35, *L. Gröningsecks*: »Sie werden warm! etc.« – Beym Schluß des zweyten Akts läßt der
B. Evchen weiter nichts sagen, als »seine eigne Tochter!« vermuthlich um einer Favoritaktrize während dieser theatralischen Exklamation Zeit zu geben, ihre Ohren am Klatschen
des Parterrs noch auf dem Theater zu laben; wenn sie das
übrige der *L.A.* dazu sagte, käm sie zu früh in die Coulißen.
– Doch wir sind es satt, ähnliche Stellen auszuschreiben, wer
Lust hat, mag sich die Mühe nehmen, fernere Untersuchungen anzustellen. Nur dieses noch! Was *Humbrecht* am Ende
des ganzen Stücks von *Reisegeld* in der *L.* sagt, scheint uns
nicht so wörtlich gemeynt zu seyn: Wie? wenn er gewisse
geheime Ausgaben, die man nicht gern *öffentlich* nennt, mit
darunter verstünde? wäre dann die *L.* Lesart nicht besser,
als die *B.*? – Besser oben entwischte uns auch etwas von
Widersprüchen, die durch die Abänderung in den Gang des
Stücks eingeschlichen sind. Aus mehreren wollen wir zur
Probe ein Paar nur herausheben. Wie konnte der *B.* S. 83,
die *Frau Humbrecht* sagen lassen: »Sie ist mir gar nicht aus
den Augen gekommen, sie hat den verfluchten Lieutenant,
Gott sey mir gnädig! ja niemals ohne mich gesprochen. – Er
hat keine Zusammenkunft mit ihr gehabt, kann sie nicht mit
ihr gehabt haben, so wenig, als mit mir!« – da sie doch gleich
im ersten Akt so gut war, ihre Tochter allein zu lassen, sie
in ihrer *entrevue* mit dem Lieutenant ja nicht zu stören, da
sie doch wuste, daß er noch nicht zu Bette war, daß er vor
Evchens Schlafzimmer vorbeygehn muste. – Heist das wach-
sam seyn? und kann sie mit gutem Gewissen auf ihre Wach-
samkeit pochen? – *Evchen*, die beym *B.* dem Lieutenant sein
Bildniß wieder hinwirft, intereßirt uns, weil wir sehn, daß
der Liebeshandel schon vorher angesponnen war, nur halb;
sie hätte besser auf ihrer Hut seyn sollen, wird jeder mit
uns denken. *Hier giebt sie vor, sie wär übertölpelt worden;*
beim *L. ist sie es wirklich.* Und dennoch läßt der *B.* sie S. 64,
gerade weg sagen: »Ich liebte sie, wie ich sie kennen lernte,
jezt kann ichs ihnen sagen.« Also jezt erst? nicht, wie sie das
Bildniß annahm? – – S. 41 läßt der *B.* den *Gröningseck* dem
Magister den Auftrag geben, seiner lieben Base unter andern
auch zu sagen, daß er verreise. Dieser versprichts nun heilig,

geht auch gleich zu ihr. Und demungeachtet weiß *Evchen* Tags darauf S. 63, noch kein Wort davon. *Der vergeßliche Berliner Magister!* – – – Aus allen diesen bemerkten Abänderungen kann der geneigte Leser nun leicht schließen, wie viel Mühe daran gewendet worden, dies Stück *vorstellbar* zu machen. Das überflüßige Lokale, das dem Verfasser in der Vorrede vorgeworfen wird, wegzubeizen, war so leicht nicht. Dafür ists nun auch, dem Berliner seys gedankt, so beschaffen, daß es, *ohne Nutzen oder Schaden zu stifften*, allenthalben zu beliebigem Zeitvertreib aufgeführt werden kann. Daß aber diejenigen, welche den Direktor der Berliner teutschen Schaubühne oft angegangen haben, *das Trauerspiel, die Kindermörderinn*, auf seinem Theater zu geben, an diesem Gerippe ihre Rechnung gefunden haben, ist schwerlich zu glauben. Der Hr. Verfasser mag indessen immer stolz darauf seyn, daß man sein Werk schon bey seinen Lebzeiten *in usum Delphini* kastrirt hat. Will er den armen Tropf nicht mehr für sein Kind erkennen, so laß er ihn in Berlin seinen Unterhalt suchen. Uns ists auch recht! (kostet bey Eichenbergs Erben 27 kr.)

Frankfurter Gelehrte Anzeigen, 1777, S. 100–108. Der Abdruck folgt auf Grund eines Mikrofilms dem einzigen bekannten Exemplar dieses Jahrgangs der FGA in der Universitätsbibliothek Halle a. d. Saale.

H. L. Wagner an Grossmann[1]

Frankfurt, den 27. 11. 1777
In Presburg ist meine Kindermörderinn im Julius mit nur wenig Veränderungen im ersten Akt aufgeführt worden. Melden Sie diess H. Reichardt[2], damit er sie besternt.

1. Grossmann, Mitglied der Seylerschen Theatertruppe in Frankfurt.
2. Reichardt, der Herausgeber des *Theaterkalenders* und des *Theaterjournals* (bei Ettinger in Gotha).

H. L. Wagner an denselben

Frankfurt, den 21. 12. 1777

Hierbey schick ich Ihnen authentische Nachrichten von der Wahrischen Bühne in Presburg[3]; in Kalender werden sie zu spät kommen; schicken Sie sie ins Journal. [...] Grüssen Sie H. Opitz[4], wenn er mit Abschreiben fertig ist (zum Souffliren wird es wohl nöthig seyn, das ganze im Zusammenhang noch einmal zu kopiren,) so bitt ich mir gelegentlich mein Exemplar zurück aus.[5]

H. L. Wagner an denselben

Frankfurt, den 26. 1. 1778

Warum hör ich nichts von Evchen Humbrecht? Wenn H. Seiler es nicht brauchen kan, wünsche ichs zurück.

H. L. Wagner an Maler Müller

o. O. u. D.

Meiner Kindermörderinn haben sie in Berlin eben die Ehre angethan, die Stephanie dem Macbeth anthat[6]; haben sie verstümmelt, verhunzt, eignen Koth hineingeschissen. – In Augsburg soll ihr das nemliche Schicksal für das Münchener Theater bevorstehen. Meinetwegen!

Erich Schmidt, *Heinrich Leopold Wagner*. Jena: Frommann 1875, S. 99, 100 f., 104, 108.

(Rezension)

Die Kindermörderin, ein Trauerspiel, das Schwickert A. 1776. auf 120 S. gedruckt hat, legten wir fast mit Unwillen beyseite, da wir in dem ersten Auftritte uns in einem sehr niederträchtigen Hause fanden, wohin ein deutscher Lovelace eine junge tugendhafte, ihn aber liebende, Schöne gelockt, und wo er ihre Mutter durch einen Schlaftrunk be-

3. Wahr, Leiter der Bühne in Budapest und Preßburg.
4. Opitz, Mitglied der Seylerschen Theatertruppe in Frankfurt.
5. Gemeint ist offenbar das Manuskript von Wagners Umarbeitung der *Kindermörderin*, das sich so *ante quem* datieren läßt.
6. Gottlieb Stephanie, Bühnendichter und Theaterdirektor in Wien, hatte Wagners Übertragung von Shakespeares *Macbeth* aufgeführt.

trunken hatte, so daß die Unschuldige ein Opfer seiner
Brunst wurde. Nachwärts aber reuete es uns nicht, das
Schauspiel gelesen zu haben. Freylich sind die Sitten völlig,
wie sie bey geringen Leuten zu Straßburg erwartet werden
können, grobe Worte, auch Prügel. Aber am Ende hat doch
das Ganze viele Natur, und eine nützliche Absicht. Die Unglückliche muß zu einer Waschfrau flüchten, wo die elende
Wirthin ihr keine Lebensmittel mehr reichen will. Ihr Liebhaber scheint in einem untergeschobenen Briefe sie zu verlassen. Ihr Vater ist ein harter Mann, den sie aufs äusserste
fürchtet. Ihre Mutter hat eben der Kummer getödtet. Sie
vernimmt, daß ihre Schande bekannt ist. Aus Verzweiflung,
und um ihr Leben abzukürzen, tödtet sie das Kind, da eben
der wirklich tugendhafte Verführer wiederkömmt, sie zu
ehlichen verspricht, der Vater ihr willig vergiebt, und sie
glücklich seyn könnte. Nicht unklug läßt der Verfasser den
Vorhang fallen, ohne daß der Leser zuversichtlich das
Schicksal der Unglücklichen weiß, für die der Bräutigam um
Gnade zu flehen abgeht, und in Ansehung der günstigen
Umstände solche zu erhalten hoffen kan.

Zugabe zu den *Göttingischen Anzeigen von gelehrten
Sachen* . . . Der erste Band auf das Jahr 1777. 19. Stück,
den 10. May 1777. S. 301 f. Leipzig.

(Johann Georg Schlosser)

den 28sten Sept. 78.
– – – Es ist doch kaum begreiflich, daß es ausser den
Stephani und ihren vielen Konsorten noch Dichter fürs deutsche Theater gibt. Sie kennen Wagners Kindermörderin, und
gewis hat der traurige Ausgang dieses so guten, so interes-
santen und wahren Stücks auf Sie eben die Wirkung gethan,
die es auf mich that. Das edle verführte Mädchen so aus dem
Leben wandern zu sehen, ihrer Seelen Qual so mächtig arbeiten zu sehen, so mit zu empfinden, wie sie bis auf die letzte
Spur ihres unschuldigen Falles, zerris es auch ihr Herz, auslöschen, und dann selbst sich hingeben wolte: das, mein B.
fühlte ich der veredelten menschlichen Natur so angemessen,
daß ich dem Dichter für seine Grausamkeit dankte, und daß
mein Herz, mitten im Gefühl des Mitleidens, über die Lei-

dende sich erhob und sich selbst an der Szene weiden konte.
– Nun kamen aber ich weis nicht was für entnervte Kunstrichter und Dilettanti und das Operabuffapublikum dahinter, und schrieen, wie die menschenfreundlichen Toulou-
serinnen, die einen Calas auf dem Richtplaz rädern, aber
keinen Beverley[1] auf dem Theater verzweifeln sehen konte
– die schrieen dann: o weg! weg! wer kan das sehen! wer
tragen! Uns träumt von dem Kinde; uns wird's übel vor
Angst; bei uns spukt's die ganze Nacht, wenn wir das sehen;
wir bekommen Kopfweh, Herzklopfen, Wallungen – schickt
uns doch nicht krank vom Theater! – die seidnen Männer-
chen schrieen mit, und schnell war ein Dichter[2] da, der, wie
der mit des freudigen Werthers Blutpistole[3], auch hier Rath
wuste. Der goß Rosenwasser über das so schreckliche Gemälde, parfumirte es wie er konte – die Farben gingen freilich aus, aber nun rochen doch die schönen Jungfern und die
seidenen Herren den glänzenden Firnis nicht mehr! Nicht
genug. Der Dichter[4], der doch sein Stück gern hätte aufführ-
ren sehen, lies sich verführen, und tröpfelte auch ein Paar
Tropfen auf; und siehe da! statt des mutigen, edlen, selbst
bei ihrem Verbrechen grossen Mädchens, steht nun da eine
schmelzende Braut und ein dummer Junge, die so glücklich
sind, daß sie in ihren Entzückungen zerschmelzen und des
Redens kein Ende finden. Das menschenfreundliche Publikum geht getrost nach Haus, nimt sein Soupe ohne Sorgen
über das arme Kind und die gerettete Mutter, schwazt noch
ein Viertelstündchen darüber, und schläft dann, ohne Herzklopfen und ohne Kopfweh, so gähnerlich ein, als es vor der
Bühne wachte.

O müssen sie denn ganz den weichlichen Reichen aufge-
opfert werden, die schönen Künste! Haben sie denn gar
nichts mehr für den Mann, dem das Leben zu träg, zu emp-
findungslos ist, und der zur Bühne geht, um wieder einmal
durch der Dichtung Zauberkunst eine kraftvolle Welt um

1. Der Held von Moores Tragödie *Der Spieler*, die seit 1755 in Deutschland aufgeführt wurde.

2. Der Bearbeiter Karl Lessing.

3. Nicolais Werther-Parodie.

4. Wagner mit seiner Umarbeitung *Evchen Humbrecht*, die Schlosser
also vor dem Druck schon kannte.

sich schaffen zu sehen, wo er sein Herz doch einmal fühlen kan, solt' er's auch bluten fühlen!

Armseliges Publikum, wie würdest du gezittert haben, hätte dir dein Jahrhundert einen Sofokles, einen Euripides, einen Aeschylus, einen Shakespear gegeben! Wer hätte von ihnen wagen dürfen das stoß zweimal der Elektra zu sagen, wer den blinden Oedip mit blutenden Augen, wer den heulenden Philoktet, wer alle die männlichen Szenen dazustellen, wobei Athen und ganz Griechenland in stummer Empfindung den Heldengeist nährte, vor dem du nun erstaunst, und dem du nichts entgegen sezen kanst, als die List und die Klugheit deiner Heerführer, und die Stätigkeit deiner in Formen geschraubten, oder zur Wut berauschten Soldaten, und die schönen Herren und Damen, die aus lauter Empfindsamkeit keiner Empfindung mehr fähig sind. – Doch der Himmel hat für dich gesorgt, und wohl denn dir bei deinen Operettenmachern und menschenfreundlichen lieblichen Dichterlingen; aber unsre Kinder – Adieu, Boie, las den Vorhang fallen!

Deutsches Museum. Leipzig: Weygand. Zweiter Band. Eilftes Stück. November 1778, S. 478–480.[5]

Bürger an Boie

Wöllmershausen, den 3. 12. 1778

Was die Auszüge [aus Briefen in Boies *Deutschem Museum*] betrift, so klingt mir der Ton im 2ten [Schlossers Schreiben über Wagners *Kindermörderin*] zu enthusiastisch.

Briefe von und an G. A. Bürger. a. a. O., Bd. II, S. 324.

(Johann Joachim Eschenburg)
Die Kindermörderinn, ein Trauerspiel. Leipzig, bey Schwikkert. 1776. 8.
Die Kindermörderinn, so wie sie abgeändert auf dem deutschen Theater zu Berlin im Jenner 1777. aufgeführt worden ist. Berlin, bey Himburg. 8.

5. Das leicht abweichende Manuskript des Briefes Schlossers an Boie wurde von Erich Schmidt in seiner Wagner-Monographie veröffentlicht. (Jena 1875, S. 108 ff.)

In seiner *ursprünglichen* Gestalt ist dieß Schauspiel freylich
keiner Vorstellung auf einer gesitteten Bühne fähig; und
schwerlich möchten sich die Schauspieler selbst dazu ver-
stehen wollen, besonders die nicht, der man die Hauptrolle
zutheilte, die übrigens eben keine Vestalinn zu seyn braucht,
um nicht gern vor den Augen der Zuschauer in solch einer
Situation erscheinen zu wollen, wie die im ersten Aufzuge
ist. Aber schwerlich hat sich auch der Verf. selbst die Hoffnung gemacht, sein Stück je aufs Theater gebracht zu sehen;
und es war, wie es scheint, mehr die Absicht des Verf., ein
durch Dialog und dramatische Kunst belebtes historisches
Gemälde, oder vielmehr eine Folge solcher Gemälde, von
den Gefahren der Üppigkeit für den Mittelstand, und von
den schrecklichen Folgen mütterlicher Sorglosigkeit oder Un-
besonnenheit aufzustellen. Und aus diesem Gesichtspunkte
betrachtet, muß man dem Verf. allerdings sehr viel Verdienst
zugestehen, sehr viel Talent in der treuen Nachahmung der
Natur, in Handlung, Gesinnung und Sprache der theilneh-
menden Personen. Freylich sind die Farben oft zu stark
aufgetragen; die Züge oft zu kühn, und, wir möchten fast
sagen, gar zu natürlich; aber man schätzt in der Malerey
auch den Ostadischen Geschmack.

Der Urheber der *veränderten* Gestalt dieses Schauspiels
sah es, laut seiner Vorrede, ein, daß eine Beurtheilung nach
den Regeln der Kunst hier eben so passen würde, als den
Reiter nach den Regeln des Tänzers zu loben oder zu tadeln;
und doch glaubte er, sie für die Vorstellung umändern zu
können. So viel wir wissen, hat man in Berlin auch die Vorstellung in dieser Umänderung nicht verstattet; und noch ist
uns keine Schaubühne bekannt, die dieß Trauerspiel nach
derselben aufgenommen hätte. Der Umänderer hätte gar
wohl voraus sehen können, daß es ein mißliches, fruchtloses
Unternehmen sey, so ganz heterogene Dinge mit einander
vertauschen, eins in das andere umschmelzen zu wollen. Gerade so sonderbar, als wenn man ein Niederländisches Gemälde in ein Italiänisches umzuzeichnen und umzukolorieren
versuchen wollte. Die besten, originellsten Züge werden dabey verwischt; alles Eigenthümliche verschwindet; und man
weiß am Ende nicht mehr, was für ein Zwitterwerk man vor
sich hat. Ganz ist dieß zwar der Fall bey dieser Umände-

rung nicht: denn sie ist nicht ohne Schonung gemacht, und
sehr vieles ist ganz unverändert beybehalten; aber das Weg-
gelassene ist nicht allemal das Schlechtere, und noch seltener
das, was dafür in die Stelle gesetzt ist, das Bessere. Und im
Grunde ist viel stehen blieben, wodurch die Aufführung
verhindert werden muste. Übrigens beklagt sich der Verf.
in seiner Vorrede über die Fahrläßigkeit unserer deutschen
Kritik über die neuern Schauspiele, die ihm nicht *psycholo-
gisch* genug ist, und über die mißverstandene Nachahmung
der Shakespearischen Manier. Mo.

Anhang zu dem 25. bis 36. Bande der *Allgemeinen deutschen Bibliothek.* Berlin u. Stettin: F. Nicolai 1780.
2. Abt., S. 764 ff.

(Johann Joachim Eschenburg)

Theaterstücke von Heinrich Leopold Wagner. Frankfurt,
bey Garbe. 1779 in 8.

Diese Sammlung, die zwar erst nach dem Tode des Verfassers ins Publikum gekommen; aber noch, wie man aus Zu-
schrift und Vorrede sieht, von ihm selbst veranstaltet ist,
enthält nur zwey Schauspiele: I. *Evchen Humbrecht, oder
Ihr Mütter merkts Euch!* ein Schauspiel in fünf Aufzügen.
Es ist die bekannte *Kindermörderinn,* von welcher der Verf.
selbst gesteht, daß er sie nicht für die Bühne, sondern fürs
Kabinet, für denkende Leser geschrieben habe, und bey allem politischen Nutzen, den ihre Vorstellung vielleicht hätte
haben können, dennoch mehr als Jemand überzeugt gewesen
sey, daß dieselbe so bald noch nicht thunlich seyn würde.
Wer dies Schauspiel, das wir zu seiner Zeit angezeigt und
empfohlen haben, selbst gelesen hat, wird hierin dem Verf.
beystimmen; aber vielleicht aus andern und mehrern Gründen, als die er hier im Vorbericht anführt, und die größten-
theils nur unserm itzigen Sittenzustande zur Last fallen.
Und doch wurde dies Stück, mit einigen sehr kleinen Veränderungen von der Wahrischen Gesellschaft in Preßburg
aufgeführt. Mit der in Berlin gemachten und gedruckten
Umänderung seines Stücks konnte der V. freylich wohl nicht
zufrieden seyn; und er stattet hier der dortigen Polizey den

verbindlichsten Dank ab, dass sie, auf Anrufen des Nachtwächters von Altona, wie er sagt, für gut fand, die Vorstellung derselben zu verbieten. Hier liefert er nun selbst eine
Umänderung, wodurch dies Schauspiel zur Aufführung
fähig gemacht ist. Den ganzen ersten Akt hat er in dieser
Absicht unterdrückt, und das nöthigste daraus, was der Zuschauer unumgänglich wissen mußte, in den folgenden Aufzügen an schicklichen Stellen eingeschaltet. Die Episode mit
der Dose, die seinem vermeinten Verbesserer so anstößig
war, hat er indeß beybehalten. Auch hat er dem Ausgang,
der vorhin so tragisch war, eine andere Wendung gegeben.
Und so, wie es hier ist, hat es die Seilerische Gesellschaft im
September vorigen Jahrs zum erstenmal auf die Frankfurter
Schaubühne gebracht.

Allgemeine deutsche Bibliothek 40 (1780), 2, S. 484 f

Friedrich Schiller an Heribert von Dalberg

Stuttgart, den 15. 7. 1782

Wagners Kindermörderin hat rührende Situationen und
interessante Züge. Doch erhebt sie sich über den Grad der
Mittelmäßigkeit nicht. Sie würkt nicht sehr auf meine Empfindung und hat zu viel Wasser. Um den *Macbeth* hat er gar
nicht das geringste Verdienst.

Beide Bücher sende ich Euer Excellenz mit dem unterthä-
nigsten Dank zurük. Ich würde den Namen *Dalbergs* nie-
malen an die Spize einer solchen Arbeit zu sezen wagen.[1]

Schillers Briefe. Hrsg. u. mit Anm. vers. v. Fritz Jonas.
Stuttgart: Deutsche Verlags-Anstalt o. J., Bd. I, S. 64,
Nr. 32.

Ludwig Tieck

Von Wagner, einem Befreundeten Göthe's, besitzen wir nun,
so viel ich weiß, die Kindermörderinn, und eine launige
Abweisung altkluger Recensenten, in Form von Monologen
unter Bildchen gesetzt. Das Trauerspiel ist Göthe, wie dieser

---

1. Schiller bezieht sich auf die Ausgabe der Theaterstücke Wagners.
Frankfurt: Johann Gottlieb Garbe 1779, die Dalberg gewidmet war.

elbst erzählt, gewissermassen entwendet, zeugt aber von Kraft und Eigenthümlichkeit. Und die zweite Composition spricht einen Humor aus, der dem Göthe's selbst verwandt st.

Jakob Michael Reinhold Lenz, *Gesammelte Schriften.*
Hrsg. v. Ludwig Tieck. Berlin: Reimer 1828, Bd. I,
S. LXXII. Tiecks Vorrede.

Gustav Zieler

Ob Heinrich Leopold *Wagners* vielgenannte Tragödie »*Die Kindermörderin*« (deren lange vor München geplante und unmehr also erfolgte Aufführung eine sehr dankenswerte That der »Neuen Freien Volksbühne« war) sich einen Platz erobern wird, daran würde ich auch zweifeln, wenn nicht die ungezügelte Sprache und die Bedenklichkeit vieler Vorgänge im Zeitalter der Zensur eine öffentliche Aufführung des Werkes unmöglich machten. Wenn man es überhaupt aufführen will, muß man die Originalfassung bringen, nicht eine der Bearbeitungen von K. Lessing, Wagner selbst oder Fresenius. Josef Ettlinger hat diese Originalfassung durch schonende Streichungen und maßvolle Änderungen – unter Wahrung des ersten Aktes! – neu bearbeitet. (Erschienen in der Bibliothek der Gesamtlitteratur von Otto Hendel in Halle. Mk. 0,25.) Aber so starke Eindrücke man auch aus Einzelheiten gewinnt, so wuchtig auch vor allem die Gestalt des Metzgers Humbrecht hingestellt ist, so interessant und »modern« auch einiges, wie die Unterhaltung der Offiziere über das Duell, anmutet – künstlerisch betrachtet, können wir doch das Drama nicht eben sehr hoch einschätzen. Wagner vermag nicht das Schicksal der armen Evchen aus jener Stimmung zu gestalten, die Faust beim Eintritt in den Kerker des wahnsinnigen Gretchens empfindet: »Der Menschheit ganzer Jammer faßt mich an«. Die brutale Wildheit des Metzgermeisters, die so unvermittelt mit zärtlicher Vaterliebe wechseln kann, ist ihm überzeugend gelungen. Und die kupplerische Beschränktheit der Mama Humbrecht kommt so überzeugend heraus, daß diese würdige Dame ebenbürtig neben der Mutter Millerin steht. Aber in die Tiefen der Leidenschaften steigt Wagners innerlich etwas trockene Natur

nicht hinab, und hier müssen wir klingende Worte und sen
timentale Geberden als Ersatz nehmen. Daß uns trotzden
die letzten beiden Akte erschüttern, ist Schuld des Stoffes
wie uns auch ein Thatsachenbericht über den Vorfall, de
ja, auch wie bekannt, dem wirklichen Geschehen nachgebil
det ist, erschüttern wird. Im Grunde hat sich hier also doc
wohl die Litteraturgeschichte als ein gerechtes Gericht er
wiesen, – was nicht hindert, daß namentlich vom litteratur
geschichtlichen Standpunkt die Aufführung reichste An
regung bot. Nicht nur zu Goethe, Schiller und Hebbel
sondern auch zu Gerhart Hauptmanns »Rose Bernd« laufe
Fäden von Wagners »Kindermörderin«. Hauptmann ha
dem alten Stoff nach meiner Auffassung die für einen Men
schen von heute einzig mögliche künstlerische Fassung ge
geben. Er klagt nicht mehr an, wie der Rousseau-Jünger i
der revolutionären Epoche des Sturmes und Dranges, son
dern er will nur die Seelenvorgänge verständlich machen
die eine solche arme, gehetzte Kreatur zu dem grausiger
Entschluß des Kindermordes drängen.

Das litterarische Echo VII, Heft 1 vom 1. 10. 1904
Sp. 73 (Echo der Bühnen. Berlin.)

Friedrich Gundolf

Heinrich Leopold Wagner war ein gewandter Plebejer unc
ein übler Litterat, er sah als Plebejer vor allem das »Natür
liche« und verstand darunter das Gemeine. Seine »Kinds
mörderin«, ein Werk dem man zuviel Ehre antut, wenn
man es ein Plagiat am Urfaust nennt, hat von Goethe unc
Shakespeare nichts geholt als die Erlaubnis sich nicht z
genieren, die unteren und mittleren Stände ihre Sprach
reden zu lassen, Derbheiten, Gemeinheiten, Zoten, Flüch
anzubringen, gleichviel wo sie hingehören und wo nicht. E
gibt lockere Szenen, unverfälschte Bilder der gemeinen Wirk
lichkeit – Wirklichkeit gefasst als Zustand, nicht als Kraft
Das Problem ist – und darin ist Wagner der typische Litte
rat – ein zeitgenössisch aktuelles. Was in Goethes Dram
Symbol ist das benutzt Wagner als Rohstoff. Künstlerisch
und dichterische Qualitäten gehen dem Werk völlig ab. Vor

Shakespeare als Tragiker hat Wagner gar keinen Begriff.
Nur die dunkle Vorstellung der Natürlichkeit um jeden
Preis, die er sich von Shakespeare im allgemeinen machte,
hat an seiner Arbeit mitgewirkt. Eine gewisse sinnliche Leb-
haftigkeit des Aufnehmens von Einzelzügen ist die einzige
Qualität die man seinen Machwerken zusprechen kann.

Friedrich Gundolf, *Shakespeare und der deutsche Geist.*
Berlin: Bondi ⁶1922, S. 252.

ZUR TEXTGESTALT

Der hier vorgelegte Neudruck folgt für die drei Fassungen de*
Kindermörderin den Originalausgaben, von denen sich je ei*
Exemplar im Britischen Museum, London, befindet (Erstfas*
sung 1776: Signatur 11748.c.31; Lessings Bearbeitung: Signatu*
11748.c.32; Wagners Umarbeitung: Signatur 11748.c.61). Die Erst*
fassung wird vollständig, die Umarbeitungen in Ausschnitten, di*
ihre wesentlichen Veränderungen zeigen, neu gedruckt. Für di*
übrigen im Anhang abgedruckten Materialien aus Briefen de*
Zeit und Rezensionen ist der Fundort von Fall zu Fall angegeben*

Das Exemplar der Ausgabe Leipzig 1776 im Britischen Museum
zeigt S. 57, Z. 36 unseres Neudrucks die Wörter »den Duellen*
durchstrichen. Ob man daraus auf eine Textänderung für ein*
Aufführung an einem Ort, an dem dieses Gesetz nicht in Kraf*
war, schließen darf, wage ich nicht zu entscheiden.

Die Neudrucke von E. Schmidt, A. Sauer, K. Freye, R. K. Gold*
schmit, K. Hoppe und E. Loewenthal wurden verglichen. Dabe*
konnten mancherlei Abweichungen vom Original und falsche Le*
sungen rückgängig gemacht werden. Von großem Nutzen war hier*
für der Vergleich des Sprachstandes mit dem Adelungschen Wörter*
buch (2. Aufl., 1793), dessen Formulierungen bei der Erklärun*
von Wörtern und Redensarten möglichst beibehalten wurden.

Der Neudruck ist wort- und lautgetreu, um die Kontrolle de*
verschiedenen, absichtlich schroff gegeneinandergesetzten Sprach*
haltungen und der Eigenwilligkeit und Uneinheitlichkeit de*
Sprache Wagners zu ermöglichen. Angesichts dieses typischen Stil*
zuges der Stürmer und Dränger und wegen des nicht bekannter
Manuskripts es müßig, dem Verfasser, Drucker oder Korrekto*
Fehler anzukreiden und entsprechend den Text zu vereinheit*
lichen. Aus diesem Grund wurde auch die ursprüngliche Zeichen*
setzung belassen, bei der man hauptsächlich sich erinnern muß
daß das Komma Sprechpausen anzeigt und also vor eingeschobenen
Anreden und kurzen Relativsätzen oder indirekten Fragesätzer
fehlen darf, daß der Punkt auch Fragesätze, das Fragezeichen auch
Ausrufesätze bezeichnen kann. Textänderungen gegenüber den drei
Originalfassungen verzeichnet die folgende Aufstellung:

4, 15 Blutschreyer] Blutschreiber – 5, 6 Humbrecht] Humprecht*
– 7, 22 ein.)] ein. – 8, 13 Gröningseck.] Gröningseck – 8, 17 Weih*
nachten] Weinachten – 8, 30 Marianel.] Mariael. – 13, 17 vernei-

gend.)] verneigend,) – 15, 17 dem] den – 16, 32 Staupbesenwaar] Staubbesenwaar – 17, 39 nach dem,] nachdem, – 19, 28
Heilige] Helige – 20, 8 funfzig] funzig – 23, 8 ers;] ers? – 23, 13
mardern Palatin] martern Paladin – 28, 9 halten.] halten? –
29, 19 dies] dis – 29, 19 f. Augenblick!] Angenblick! – 30, 27
Diesmal] Dismal – 33, 34 Haus, hast] Haus hast, – 34, 4 du]
dn – 34, 31 gar nicht] gar nicht nicht – 35, 28 Einem] Einen –
35, 31 Eurem] Curem – 37, 16 leider] eid er – 44, 1 Gröningseck.] Gröningseck – 45, 22 Dummkopf] Dumkopf – 46, 8 Evchen.] Evchen – 46, 30 Evchen.] Evchen – 46, 37 f. die besten]
bie desten – 47, 23 bemerkte] bewerkte – 49, 36 was] wast –
51, 13 Evchen.] Evchen – 51, 34 sich.)] sich,) – 56, 21 Magister!]
Mayister! – 59, 34 meinem] meinen – 61, 8 ununtersucht] untersucht – 62, 7 f. der, der den] der der den – 62, 33 seyn.] seyn; –
64, 31 seyn?] seyn – 65, 10 sagt.)] sagt,) – 67, 16 gleich.] gleich,
– 67, 21 ihnen] ihn – 69, 1 nicht.] nicht; – 74, 5 zwar] war –
75, 32 morgens] mor- morgens – 80, 3 (mit] mit – 81, 35 f. seh,
sie haben] seh sie, haben – 85, 2 Blutschreyer] Blutschreiber –
89, 12 ununtersucht] untersucht – 90, 7 f. Psychologisten] Psy-
giologisten – 91, 31 altem] altes – 92, 18 ihrer] ihre – 93, 6 kennen,] keunen, – 93, 35 Dichtern] Dichter – 94, 3 ihn] ihr –
94, 7 Stücken] Stück – 94, 21 f. der davon] davon – 95, 17 seinem] seinen – 98, 7 Ausgeartetste] Ausgeartetste – 100, 29 kann
sies] kanns – 101, 1 Vierter] Dritter – 101, 9 Frauenzimmern]
Frauenzimmer – 101, 13 dem] den – 101, 23 Fünfter] Vierter –
102, 12 ihrem] ihren – 103, 16 nach dem] nachdem – 103, 19
abtrocknend)] abtrockend) – 104, 21 Sechster] Fünfter – 104, 29
Siebenter] Sechster – 105, 16 v. Harroth.] v. Hvrroth. – 106, 1
zuviel] znviel – 107, 5 tranken] trunken – 108, 12 f. Stuben-
hütens] Stubenhüttens – 109, 7 nicht kann,] nichtkann, – 109, 11
sie] Sie – 109, 15 befürchtst] befürchst – 109, 29 unsre] unsrer
– 110, 7 spukts] spukst – 110, 7 fühlt] fiehlt – 111, 32 zu wollen.] wollen. – 112, 9 v. Harroth.] Harroth. – 112, 14 im Rinnsteine;] in Rennsteine; – 112, 17 vielen] viele – 112, 19 ihm!]
ih! – 114, 34 ferner] fernr – 122, 14 weisse] weise – 127, 32
ganzem] ganzen – 127, 36 ihm] ihn – 131, 27 mir] wir

DRUCKGESCHICHTE

Zeitgenössische Drucke:

A. 1. *Die Kindermörderinn*, ein Trauerspiel. Leipzig: Schwickert 1776.

   2. (Nachdruck:) o. O. u. J. [= Augsburg: Stage 1776].

   3. (Nachdruck:) In: *Neue Schauspiele aufgeführt auf dem Churfürstlichen Theater zu München.* Augsburg u. München: Conrad Heinrich Stage 1777, Bd. IV, Nr. 7 [in der Inhaltsübersicht Lenz zugeschrieben].

B. 1. *Die Kindermörderinn*, so wie sie abgeändert, auf dem deutschen Theater zu Berlin im Jenner 1777 aufgeführt worden ist. o. O. u. J. [= Berlin: Himburg. Dezember 1776].

   2. *Die Kindermörderinn*, ein Trauerspiel in fünf Aufzügen. Neue umgearbeitete Auflage. Berlin: Christian Friedrich Himburg 1777. [Titelausgabe von 1.].

   3. *Die Kindermörderinn*, ein Trauerspiel in sechs Aufzügen. Wie sie abgeändert aufgeführt worden ist. Frankfurt a. M.: Johannes Bayrhoffer 1777. [Nachdruck von 1.].

   4. (Nachdruck davon:) In: *Neueste Sammlung von Theater-Stücken.* Fünfter Band. Frankfurt a. M.: Johannes Bayrhoffer 1778.

C. 1. *Die Kindermörderinn*. Ein Trauerspiel in sechs Aufzügen von Professor Wagner. Frankfurt a. M. 1777.

   2. (Titelausgabe:) In: *Theatralische Sammlung.* 25. Band. Wien: Johann Josef Jahn 1792.

D. 1. *Der Schlaftrunk oder Mütter! Hütet eure Töchter besser.* Ein bürgerliches Trauerspiel in fünf Aufzügen. o. O. 1789.

   2. (Nachdruck:) In: *Deutsche Schaubühne.* Vierter Band. Augsburg 1789.

E. 1. *Evchen Humbrecht oder Ihr Mütter merkts Euch!* Ein Schauspiel in fünf Aufzügen von H. L. Wagner. D. d. R. Frankfurt a. M.: Johann Gottlieb Garbe 1779.

   2. (Nachdruck:) In: *Theaterstücke von Heinrich Leopold Wagner.* Frankfurt a. M.: Johann Gottlieb Garbe 1779.

Neudrucke:

1. In: *Stürmer und Dränger*. Zweiter Teil. Lenz und Wagner. Hrsg. v. Dr. August Sauer. Berlin u. Stuttgart: W. Spemann o. J. [= 1880], S. 283–357 (= Deutsche National-Litteratur. Hrsg. v. J. Kürschner, Bd. 80).

2. *Die Kindermörderinn*. Ein Trauerspiel von H. L. Wagner nebst Scenen aus den Bearbeitungen K. G. Lessings und Wagners. [Hrsg. v. Erich Schmidt.] Heilbronn: Gebr. Henninger 1883 (= Deutsche Litteraturdenkmale des 18. und 19. Jahrhunderts. Hrsg. v. B. Seuffert. 13).

3. *Die Kindermörderin*. Hrsg. u. bearbeitet v. Josef Ettlinger. Mit einer Einleitung und einem Bilde des Dichters. Halle a. S.: Otto Hendel 1904 (= Bibliothek der Gesamtlitteratur des In- und Auslandes, Nr. 1816).

4. In: *Sturm und Drang*. Dichtungen aus der Geniezeit. Zweiter Teil. Lenz – Wagner. Hrsg. v. Karl Freye. Berlin, Leipzig, Wien, Stuttgart: Bong o. J. [= 1911], S. 467–530.

5. In: *Sturm und Drang* in einem Band. Hrsg. v. Rudolf K. Goldschmit. Stuttgart: Hädecke 1924, S. 195–274 (= Diotima-Klassiker).

6. In: *Sturm und Drang*. In Auswahl hrsg. v. Dr. Karl Hoppe. Leipzig: Weber o. J., S. 208–252.

7. In: *Sturm und Drang*. Dramatische Schriften. Zweiter Band. Hrsg. v. Erich Loewenthal u. Lambert Schneider. Heidelberg: Schneider 1960, 2. Aufl. 1963, S. 535–605.

(Heinrich Leopold Wagner, *Gesammelte Werke in fünf Bänden*. Zum ersten Mal vollständig hrsg. durch Leopold Hirschberg. Potsdam: Hadern 1923 enthalten in dem einzigen erschienenen 1. Band *Die Kindermörderin* nicht.)

Übersetzung:

L'infanticide. Drame inédit en six actes par Henri-Léopold Wagner. Traduit de l'allemand par Georges Bergner. In: *Les œuvres libres*. Recueil littéraire mensuel ne publiant que de l'inédit. CLXIII. Paris: A. Fayard, Janvier 1935, S. 127–204.

Bearbeitung:

Peter Hacks, *Die Kindermörderin*, ein Lust- und Trauerspiel nach Heinrich Leopold Wagner. In: Peter Hacks, *Zwei Bearbeitungen*. Frankfurt a. M.: Suhrkamp 1963.

Rezensionen:

Ausgabe 1776:

Almanach der deutschen Musen 1778, S. 56.
Straßburger Bürgerfreund I (1776), S. 569 f. u. S. 585 f. (Salzmann).
Berliner litterarisches Wochenblatt 1776, S. 153 ff. (K. Lessing).
Göttingische Anzeigen von gelehrten Sachen, Zugabe I (1777), S. 301 f. – Vgl. Anhang S. 144 f.

Lessings Bearbeitung 1777:

Altonaer Reichspostreuter 13. 2. 1777 (Wittenberg).
Berliner litterarisches Wochenblatt 25. 2. 1777 (Himburg).
Altonaer Reichspostreuter, Stück 17 u. 32 vom Jahre 1777.
Frankfurter Gelehrte Anzeigen, Februar 1777, S. 100 ff. (H. L. Wagner). – Vgl. Anhang S. 137 ff.
Hamburger unpartheyischer Correspondent, Stück 13, 32 u. 35 vom Jahre 1777.
Schubart, *Deutsche Chronik* 1777, S. 111 u. 255.
Deutsches Museum 1778, II, S. 478 ff. (Schlosser). – Vgl. Anhang S. 145 ff.

Ausgaben 1776 und 1777:

Anhang zu dem 25. bis 36. Bande der *Allgemeinen deutschen Bibliothek*. 1780, 2, S. 764 ff. (Mo. = Eschenburg). – Vgl. Anhang S. 147 ff.

Wagners Umarbeitung 1779:

Allgemeine deutsche Bibliothek 40, 2 (1780), S. 484 f. (Eschenburg). – Vgl. Anhang S. 149 f.

Aufführung am 4. 9. 1904 in der Neuen Freien Volksbühne, Berlin:

National-Zeitung Nr. 523 (Monty Jacobs).
Der Tag Nr. 411 (Franz Servaes).
Der Tag Nr. 419 (Julius Hart).
Vossische Zeitung Nr. 416 (Alfred Klaar).
Berliner Tageblatt Nr. 451 (Fritz Mauthner).
Rheinische Musik- und Theater-Zeitung 1904, V, S. 436–438.
Das litterarische Echo VII, Heft 1 vom 1. 10. 1904, Sp. 73 (Gustav Zieler). – Vgl. Anhang S. 151 f.

LITERATURHINWEISE

Zur Biographie:

Johann Georg Meusel, *Lexikon der vom Jahr 1750 bis 1800 verstorbenen teutschen Schriftsteller.* Leipzig: Fleischer 1815, Bd. XIV, S. 322 f.

Erich Schmidt, *Heinrich Leopold Wagner.* Goethes Jugendgenosse. Nebst neuen Briefen und Gedichten von Wagner und Lenz. Jena: Frommann 1875.

Erich Schmidt, *Nachträge zu Heinrich Leopold Wagner.* In: Zeitschrift für deutsches Altertum, N. F. 19, 1876, S. 372–385.

Erich Schmidt, *Von und über Heinrich Leopold Wagner.* In: Archiv für Litteraturgeschichte 6, 1877, S. 522–525.

Erich Schmidt, *Heinrich Leopold Wagner.* Goethes Jugendgenosse. Zweite völlig umgearbeitete Auflage. Jena: Frommann 1879.

Johannes Froitzheim, *Lenz, Goethe und Cleophe Fibich von Straßburg.* Straßburg: Heitz 1888 (= Beiträge zur Landes- und Volkskunde von Elsaß-Lothringen. Bd. I, Heft IV).

Johannes Froitzheim, *Goethe und Heinrich Leopold Wagner.* Straßburg: Heitz 1889 (= Beiträge zur Landes- und Volkskunde von Elsaß-Lothringen. Bd. II, Heft X).

Erich Schmidt, *Heinrich Leopold Wagner.* In: Allgemeine deutsche Biographie, Leipzig 1896, Bd. XL, S. 502–506.

Karl Wolff, *Heinrich Leopold Wagners Verteidigung vor der Frankfurter Zensurbehörde.* In: Euphorion 30, 1929, S. 281 bis 289.

Ewald Reinhard, *Saarbrücker Erlebnisse eines »Stürmers und Drängers«.* In: E. R., *Literaturgeschichte des Saargebiets.* Saarbrücken: Saarbrücker Druckerei o. J. [= 1929].

Elisabeth Genton, *La mort de Heinrich Leopold Wagner.* Une lettre inédite de Christine Wagner à Anton Matthias Sprickmann. In: Etudes Germaniques 21, 1966, S. 63–68.

Zur Bibliographie:

Karl Goedeke, *Grundriß zur Geschichte der deutschen Dichtung.* (3. Aufl. 1916; Nachdruck) Berlin: Akademie-Verlag 1955, Bd. IV, 1, S. 766–773, bes. S. 770 f. (= Buch VI, § 230.4).

Ernst Schulte-Strathaus, *Bibliographie der Originalausgaben deutscher Dichtungen im Zeitalter Goethes.* München u. Leipzig: Müller 1913, S. 165–182.

Zu Wagners »Kindermörderin« auf der Bühne:

Elisabeth Mentzel, *Geschichte der Schauspielkunst in Frankfurt am Main von ihren ersten Anfängen bis zur Eröffnung des städtischen Komödienhauses.* Ein Beitrag zur deutschen Kultur- und Theatergeschichte. Frankfurt a. M.: Völcker 1882.

Jolantha Pukánszky-Kádár, *Geschichte des deutschen Theaters in Ungarn.* Bd. 1. Von den Anfängen bis 1812. München: Reinhardt 1933 (= Schriften der Deutschen Akademie in München, Heft 147).

Zur »Kindermörderin«:

J. V. W(idmann), *Heinrich Leopold Wagners Kindermörderin.* In: Berner Bund 1891, Nr. 63. 64.

J. Colin, *Goethes Faust in seiner ältesten Gestalt. Untersuchungen.* Frankfurt a. M.: Rütten & Loening 1896, S. 259–270.

Arthur Eloesser, *Das bürgerliche Drama, seine Geschichte im 18. und 19. Jahrhundert.* Berlin: Hertz 1898, S. 130 ff.

Hermann Jantzen, *Eine zeitgenössische Beurteilung von H. L. Wagners »Kindermörderin«.* In: Archiv für das Studium der neueren Sprachen und Literaturen 120 (1908), S. 282–288.

Josef Zorn, *Die Motive der Sturm-und-Drang-Dramatiker, eine Untersuchung ihrer Herkunft und Entwicklung.* (Diss.) Bonn 1909.

Hermann Conrad, *Die Sturm-und-Drang-Dichter und Lessing in neuen Ausgaben.* In: Preußische Jahrbücher 149 (Sept. 1912), S. 449–463, bes. S. 452–454.

Oscar Helmuth Werner, *The unmarried mother in German Literature.* With special reference to the period 1770–1800. New York: Columbia University Press 1917.

Clara Stockmeyer, *Soziale Probleme im Drama des Sturmes und Dranges.* Frankfurt a. M.: Diesterweg 1922 (= Deutsche Forschungen. Hrsg. v. F. Panzer u. J. Petersen, Heft 5).

Siegfried Melchinger, *Dramaturgie des Sturms und Drangs.* Gotha: Klotz 1929.

Sten Bodvar Liljegren, *The English sources of Goethe's Gretchen tragedy.* A study on the life and fate of literary motives. Lund: Gleerup 1937 (= Acta Reg. Soc. Hum. Litt. Lundensis, XXIV).

Joseph Pinatel, *Le drame bourgeois en Allemagne au XVIIIme siècle.* (Thèse) Lyon: Bosc & Riou 1938, S. 128 ff.

W. W. Pusey, *Louis-Sébastien Mercier in Germany.* His vogue and influence in the eighteenth century. New York: Columbia University Press 1939.

Walter H. Bruford, *Theatre, drama and audience in Goethe's Germany.* London: Routledge & Kegan Paul 1950, S. 218 ff.

Hellmuth Petriconi, *Die verführte Unschuld.* Bemerkungen über ein literarisches Thema. Hamburg: Cram, de Gruyter 1953 (= Hamburger Romanistische Studien, A. Bd. 38).

NACHWORT

Ein hartes Allerweltsgesicht mit strenger, vorstehender
Brauenpartie, langer Stirn, hartem Kinn und den Mode-
attributen der Halskrause und des Zopfes – so etwa muß
Wagner ausgesehen haben, wenn wir einem Schattenriß mit
seiner Namensunterschrift vertrauen dürfen. Spärlich wie
die bildlichen Quellen – der Riß ist das einzige bekannte
Porträt – sind die Nachrichten über sein kurzes Leben.

Heinrich Leopold Wagner, dessen Vorfahren aus dem
Augsburgischen stammten und z. T. Pfarrer waren, wurde
am 19. Februar 1747 als erstes Kind des Handelsmanns Johannes Wagner und seiner Ehefrau Catharine Salome, geb.
Steinbach, in Straßburg geboren. Die elsässische Heimat ist
für ihn nicht nur der äußerliche Ort, an dem sich wie im
Falle Lenzens und Goethes der Anschluß an die zukunfts-
trächtigen Neuformen der Literatur vollzieht, Straßburg
wird zumal in seiner *Kindermörderin* weit über den ört-
lichen Hintergrund hinaus zur sinnlich belebten, literarisch
aktualisierten Atmosphäre, die das Geschehen und seine
Handlungsträger färbt.

Als Student der Rechte in Straßburg tritt Wagner mit
dem Kreis um Salzmann in Verbindung und wird später
Mitarbeiter der von Blessig und Salzmann begründeten
Wochenschrift »Der Bürgerfreund«. Die unsichere wirt-
schaftliche Lage führt Wagner in eine Hofmeisterstelle beim
Präsidenten von Günderode in Saarbrücken (1773/74). Seine
dortigen Dichtanfänge sind vornehmlich lyrisch und wurden
zum Teil im »Almanach der deutschen Musen« veröffentlicht. Diese Gedichte wie die etwa gleichzeitigen *Confiscab-
len Erzählungen* weisen eine Anlehnung an den frühen Wieland und Jacobi auf. Widmungen an die Fürstenhäuser von
Nassau-Saarbrücken und Hessen-Darmstadt lassen auf die
Suche nach einer sicheren Lebensanstellung schließen. Nach
dem politischen Mißgeschick des Präsidenten von Günderode
tritt der Hofmeister Wagner mit solchem Eifer bei dem

dortigen Fürsten für seinen Arbeitgeber ein, daß er, der Hofmeister, auf höchsten Befehl das Land verlassen muß. Im
Frühjahr 1775 befindet er sich dann in Frankfurt. Die un-
klare Beteiligung an dem Pasquill gegen die *Werther-Rezen-
senten Prometheus, Deukalion und seine Recensenten* schafft
den Unwillen Goethes, ohne die freundliche Beziehung
Wagners zur Frau Rat zu beeinflussen. 1776 ist Wagner
wieder in Straßburg, wo er am 28. August das Doktor-
examen der Rechte besteht. Zurück in Frankfurt, legt er am
21. September den Advokateneid ab und wird Bürger der
Stadt. Am 7. Oktober heiratet er die am 21. Dezember 1729
geborene, also achtzehn Jahre ältere Theodora Magdalena
Frieß, verwitwete Müller. Im Mai 1777 reist Wagner nach
Straßburg und hält sich in Emmendingen bei Schlosser,
Goethes Schwager, auf. Am 12. Mai 1778 stirbt Wagners
Frau. Seine Schwester Christine führt von dann an den
Haushalt und pflegt den Kranken, der am 4. März 1779
stirbt und am 6. März in Frankfurt begraben wird. Zwei
Kinder aus der früheren Ehe seiner Frau überlebten ihn.

Zu Wagners Lebenskreis gehören neben Salzmann, Blessig
und Goethe der Straßburger Bernhard Friedrich von Türck-
heim, der Gatte von Goethes früherer Verlobten Elisa
Schönemann, Schlosser, Goethes Schwager in Emmendingen,
Lenz, Maler Müller, Klinger, Sprickmann, Miller, Merck,
Claudius, Wieland, Grossmann und die Seylersche Theatertruppe.

Sieht man von den blassen, nachahmenden Anfängen seiner
literarischen Tätigkeit ab, so ist Heinrich Leopold Wagner
als Schriftsteller durch drei Werkbereiche gekennzeichnet,
die alle in einen Zeitraum von drei Jahren fallen. Ein Roman *Leben und Tod Sebastian Silligs* steht in der Nachfolge
des *Tristram Shandy* von L. Sterne. Übersetzungen umwer-
ben wichtige Kronzeugen für die angestrebte neue Form
der Literatur in Deutschland. Mag auch die Ausführung der
Macbeth-Übertragung nicht im Vergleich zu späteren Lei-
stungen befriedigen – und Friedrich Gundolf hat dies ein-
seitig hervorgehoben –, so zeigt doch die Wahl des Stückes
schon einen Zug des Literaten Wagner: die Faszination
durch Übergangssituationen zwischen der realen und fikti-

ven Wirklichkeit. Zu Shakespeare tritt ein Franzose, und zwar der konsequenteste Gegner der klassischen Bühne des großen Jahrhunderts in Frankreich selbst: Sébastien-Louis Mercier. Sein *Neuer Versuch über die Schauspielkunst* greift die Ansätze Diderots auf und wendet sich gegen Corneille, Racine und Molière, um mit dem Drama Shakespeares, der Moral Richardsons und der neuen Charakterkunst Goldonis ein Prosa-Schauspiel als Dramenform für die gesamte Nation statt der alten Hoftragödie zu fordern, eine Theaterform, die das regellose Genie als Autor verlangt. Von ebendiesem Mercier hat Wagner einige Bühnenerfolge übersetzt, die auch im deutschen Theater schnell heimisch wurden und die andererseits auf Wagners eigene Schriftstellerei für die Bühne vorausweisen. Das dramatische Werk Wagners umfaßt zunächst Einakter wie die ihm allgemein zugeschriebene Spottgeburt über die *Werther*-Kritiker, *Prometheus, Deukalion und seine Recensenten*, die bedeutsame Abrechnung mit Voltaire, *Voltaire am Abend seiner Apotheose*, schließlich die schon ins Soziale verweisende, Montesquieu huldigende Skizze, *Der wohlthätige Unbekannte*. Zwei größere dramatische Werke hat Wagner hinterlassen: *Die Reue nach der That* (1775) und *Die Kindermörderin* (1776). Beide sind stofflich und motivisch miteinander verbunden.

Hatte die *Reue nach der That* die Ehe zwischen Vertretern verschiedener Stände als Hauptmotiv, an das sich die Darstellung des biederen Bürgertums in der Rolle des Kutschers, die des Hofmeisters, der unverständigen Mutter, des Wahnsinns und des tragischen Ausgangs nur auf Grund widriger Handlungselemente konstruiert anschloß, so scheint *Die Kindermörderin* eine glückliche Weiterbildung der dichterischen Eigentümlichkeit Wagners. Zwar blieb das Gewollt-Konstruierte auch hier sichtbar, doch stellt dieses Drama bei dem vergleichsweise frühen Tod Wagners sein reifstes Werk dar.

Entstanden sein muß *Die Kindermörderin* im Anfang des Jahres 1776, das zugleich Wagners Promotionsjahr war. Bei dem Aufenthalt zur Vorbereitung dieses Studienabschlusses kam das Werk zur Verlesung. In dem Protokoll der am 8. Oktober 1775 neu eingerichteten deutschen Gesellschaft in Straßburg heißt es:

»Den 18ten Julius [1776] las Hr. Salzmann einige Para-
graphen aus dem Aufsatze: ›von den Fehlern in der
Strasburg Kinderzucht‹ u. Hr. Wagner mit vielem Beifall
ein Trauerspiel in 5 Aufzügen: ›Die Kindermörderin‹.«
Friedrich Rudolf Salzmann – nicht zu verwechseln mit dem
aus *Dichtung und Wahrheit* bekannten Aktuarius Salzmann – war der Begründer dieser Vereinigung, seine *Frag-
mente zur Straßburger Kinderzucht* stellten einen Auszug
aus Lenz' *Soldaten* dar, die der Verfasser wegen der An-
spielungen auf Straßburger Verhältnisse von dort fernzu-
halten versuchte. Wagners mit Beifall vorgelesenes Stück
umfaßt im Druck sechs Aufzüge, so daß entweder ein Fehler des Protokollanten vorliegt oder Wagner für den Vor-
trag kürzte. Eine Uneinheitlichkeit könnte allerdings auf
eine frühere Fassung schließen lassen, die wohl mit einer
Gerichtsszene geendet haben würde: das Personenverzeich-
nis im Druck 1776 nennt noch den »Blutschreyer« und Ge-
schworene als stumme Personen, die zwar im Finale auf die
Bühne gebracht werden, nicht aber als handelnde Personen
in Erscheinung treten.

Schon das Titelwort des Dramas läßt aufmerken: laut
Grimmschem Wörterbuch bildet Wagners Titel den ältesten
Beleg für das Wort »Kindermörderin«, wenn hier auch vielleicht ein Ausdruck der Volkssprache nur erstmals literatur-
fähig gemacht wurde. Für die Neuheit spricht jedenfalls,
daß noch Adelungs Wörterbuch eine erklärende Bemerkung
über die unlogische Bildung des Wortes mit der Mehrzahl
»Kinder-« anschließt und pedantische Herausgeber bis heute
den Titel in »Die Kindsmörderin« bessern.

Ungewöhnlich und neu für das Drama war – wenn man
von ausgesprochenen Spottdichtungen absieht – auch die
reiche Verwendung ortsgebundener Elemente, die in der Ein-
beziehung des Dialektes bei der bewußten Entgegensetzung
verschiedener Sprachhaltungen gipfeln. Mochte die Nennung
der Bocksgasse, des Judentores, des Wasserzolles, der Metzger-Au, des (Wilhelmer) Klosters, der Nikolaus-(Klaus-)
Kirche, der Metzig, des Raspelhauses, der Waschbritschen
auf der Ill, der Langen Straße und des Hotels zum Raben
noch durch die Absicht gerechtfertigt sein, das Stück unver-
wechselbar in Straßburg anzusiedeln, so hat die Geschicht-

lichkeit manches Personennamens doch einen bedrohlichen
Zug. Denn nicht nur der auch aus Goethes *Dichtung und
Wahrheit* bekannte Tanzmeister Sauveur, auch ein Bäcker
(Jakob) Michel, vor dessen Tür nach Wagner das Kind zu
Tode geprügelt wurde, sind urkundlich nachweisbar, das-
selbe gilt auch vom Meister Humbrecht. Der 1719 geborene
Metzger Valentin Humbert heiratete 1746 die Metzgerstoch-
ter Maria Elisabeth Pfeffinger. Beide Eheleute überlebten
Wagner; von den drei Kindern wird keine der beiden Töch-
ter durch eine Beschuldigung urkundlich belastet, wie Wag-
ner sie in seinem Stück erhebt: die erste starb in ihrem dritten
Lebensjahr 1751, die zweite 1818 als unbescholtene Witwe.
Immerhin hilft dieses Material zur Erklärung des einzigen
Blindmotivs bei dem sonst so theatersicheren Wagner: S. 36
fallen der Magister und v. Gröningseck aus der Rolle und
sprechen von den »Baasen« in der Mehrzahl.

Auch für den Bereich des Militärs griff Wagner Elemente
der Wirklichkeit unbedenklich auf. Ein Bayernregiment
»Royal Bavière« war zu jener Zeit in Straßburg stationiert.
Der Name Hasenpoth war Wagner wohl weniger aus dem
Subskribentenverzeichnis zu Klopstocks *Gelehrtenrepublik*
(1774), als durch irgendeinen Kleinadligen aus jenem kur-
ländischen Ort bekannt. Hasenpoth nennt Gröningseck seinen Landsmann (Gröning ist im Mecklenburgischen-Ost-
preußischen der Name für den Grünfink); und das erklärt
wohl auch die Reisedauer, die Gröningseck Evchen an-
kündigt.

Wagner stellt in seinem Drama vier verschiedene Sozial-
bereiche nebeneinander: den bürgerlichen in der Familie
Humbrecht, den religiösen im Magister, den der weltlichen
Gewalt im Fiskal und seinen Fausthämmern und den adligen
in der militärischen Offiziersschicht. Für die daraus erwach-
senden sozialkritischen Aspekte, Vorurteile, Überheblichkei-
ten und Ungleichheiten der Stände, wird ein Zeitthema, dem
fast alle Schriftsteller und Denker damals ihren Tribut zoll-
ten, zum Sammelpunkt und Tummelplatz: der Kindesmord
und seine strafrechtliche Behandlung. Seit den Zeiten der
Carolina, des altehrwürdigen Rechtsdokuments aus der
Herrschaftszeit Karls V., stand auf der verschwiegenen
Schwangerschaft und Ermordung des Kindes die Todes-

strafe, die in grausamer Vielfalt der Formen vollstreckt
werden konnte. Mit flinkem Zugriff verbindet der Jurist
Wagner diesen Tatbestand mit der gärenden Zeitvorstellung,
die die Ehelosigkeit des Soldatenstandes vorschrieb, und
läßt daraus den Hauptansatz seines Stückes erstehen, dem
er weitere Sozialaspekte unterordnet. Seine Technik ist die
kräftige Charakterisierung, die in der Gestalt des Meisters
Humbrecht mit seinem glaubhaft gestalteten Wechsel von
schroff abweisendem Zorn zu besorgter väterlicher Liebe
ihren Höhepunkt findet, der Evchen mit ihrer naiven Unschuld, versteckten Zuneigung zu Gröningseck und konsequenten Einstellung zu dem einmal angenommenen Schicksal der Verführten und Verlassenen zur Seite steht, während
die einsträngig gezeichneten übrigen Gestalten dagegen ab-
fallen und Gröningsecks Wandel vom angestifteten Verführer zum pflichterfüllten Tugendbold lange Zeit die Kritik
gegen das ganze Stück einnahm. Allerdings wird dieser be-
grenzte Stoff nicht durch die Sozialgegensätze ausgespielt,
sondern durch Intrigen vorangetrieben, die man durch
»Wenn-nicht«-Einwände zunichte machen könnte, aber Wagners positive Züge liegen doch wohl unter einem anderen
Gesichtspunkt. Seine Vorliebe für das Bürgerliche, das mehr
moralisch als ständisch gefaßt ist, führt das Stück aus der
Gärung der sozialen Geniedramen näher an das bürgerliche
Theater, das sich hier erstmals in einem lebendig gestalteten
Milieu mit kräftiger Färbung und anschaulichem Detail
zeigt, und dieser Stoff wird mit eindeutiger Bühnensicher-
heit beherrscht. Der Stückeschreiber Wagner bedient sich einer
gekonnten Paralleltechnik, aus der er die Folgerichtigkeit seiner Handlungsentwicklung rechtfertigt. Evchens Verführung
steht die der Tochter der Mieterin durch einen Sergeanten
gegenüber, so daß die Parallelität bis in die Sozialgegensätze
innerhalb beider Stände erreicht wird; der Strafe für Evchens Kindermord steht die Straflosigkeit des Gerichtsdieners
für die Tötung des stehlenden Kindes gegenüber – beiden das
Duellproblem und Humbrechts Verprügeln des Bettelvogts –;
und auch der Verlust der Schnupftabaksdose rechtfertigt sich
nur aus dieser Paralleltechnik.

Damit ist schon ein wesentlicher Zug von Wagners Form-
behandlung gekennzeichnet. Zu der Paralleltechnik der

Handlung kommt die geschickte Vorausdeutung auf spätere Handlungselemente, die Wagner durch beiläufig eingeflochtene Äußerungen erzielt. So erwähnt Frau Humbrecht schon S. 29 ihre Absicht, die verlorene Schnupftabaksdose ausrufen zu lassen; und darauf beruht die glaubhaft gemachte Erscheinung der Fausthämmer und des Fiskals in Humbrechts Haus. Die Aufforderung des vermeintlich versöhnten Vaters an Evchen, nun auch wieder zur Kirche zu gehen (S. 49), ermöglicht die Erzählung des Magisters über ihre Ohnmacht bei der Katechismuspredigt. Und Gröningsecks Bemerkung zu Hasenpoth (S. 43 f.), daß er nie an Evchen geschrieben habe, begründet die Intrige des letzteren und die Katastrophe der Titelheldin. Diese Technik der Vorausdeutung zeigt wiederum die Theatersicherheit Wagners, gelingt ihm doch durch sie, eine Zwischenhandlung auf der Bühne zu vermeiden und sie dennoch glaubhaft einzubeziehen in den Handlungsaufbau. Und hieraus folgt eine weitere Eigenart Wagners bei der Behandlung der Bühnenmittel: seine Einstellung zu den berüchtigten »drei Einheiten«. Die Einheit der Handlung mit Anfang, Mitte und Ende ist durch das Vorhergehende schon mehrfach betont. Die Einheit des Ortes ist durch die Unverwechselbarkeit der Straßburger Umgebung in einem neuen und höheren Sinne als bei den französischen Klassikern gewahrt. Das Drama spielt sich in drei Häusern ab: dem Bordell, dem Bürgerhaus der Humbrechts und dem Haus von Frau Marthan. Diese Einheit des Ortes wird sogar in gegensätzlicher Weise zum üblichen Sturm-und-Drang-Typus verwendet, spielt doch jeder Akt an einem einzigen Ort und unterstreicht durch den fehlenden Szenenwechsel die Einheit der Handlung. Daraus entsteht auch Wagners Eigenart, nur kurze und überleitende Monologe oder monologische Kommentare am Aktschluß die dialogische Handlung unterbrechen zu lassen. Nur in der Zeiteinheit erlaubte sich Wagner entsprechend seiner sozialkritischen Absicht die satirische Freiheit mit seiner Angabe einer Dauer von etwa neun Monaten. Obwohl dies ja keineswegs die Zeit des Spiels auf der Szene betrifft, markiert Wagner diese Dauer durch die Hervorhebung des Anfanges und Schlusses als dem Tag der Verführung und dem der Kindstötung. Beide Szenen sind fast auf die sichtbare Bühne ge-

bracht; und man erkennt ihre Kühnheit um so eher, wenn
man bedenkt, daß dahinter das Horazische Verdikt über das
steht (*Ars poetica*, V. 179 ff.), was für die Bühnendarstel-
lung zu vermeiden sei, eine Anweisung, die besonders am
Beispiel des Medea-Stoffes vielfältige theoretische und poe-
tische Auseinandersetzungen mit dem Kindermord nach sich
zog. Zu dieser Behandlung der herkömmlichen drei Einheiten kommt die neue des Milieus. Sie wird zunächst bewirkt
durch den Einbezug des Details der Bühnenausstattung, bei
der das Klavier im Humbrechtschen Haus Statussymbol ist
und als Requisit die Episode des Magisters als Klavierlehrer
überzeugend herbeiführt, oder die genaue Beobachtung, den
gerade aufgestandenen Meister Humbrecht in »niedergetre-
tenen« Hausschuhen auf die Bühne zu fordern. Ja, die Achtung, die Wagner den Requisiten schenkt, zeigt sogar in der
Titelillustration, die wohl erstmals den Bühnenraum bildlich
vor Augen stellt. Zu dieser Einheit des Milieus und der
Charakterzeichnung kommt die Ergänzung der sprachlichen
Abschattierung. Denn es ist ja nur äußerlich verallgemei-
nernd, wenn man die Prosaform dieses Stückes feststellt;
gewichtiger sind die verschiedenen Sprachschichten, die
schroff nebeneinandergestellt sind und selbst in einer Person
entsprechend den Handlungsumständen wechseln können.
Einen durchgängigen Sprachton weisen nur Meister Humbrecht, der Magister, von Hasenpoth und die Nebengestal-
ten auf. Frau Humbrecht ist die gelungenste Gestaltung
wechselnder Sprachhaltungen, während Evchen und von
Gröningseck zwischen dem ihrem Milieu entsprechenden All-
tagston und einem gemeinsamen gehobenen Ton der sentimentalen Literatur abwechseln, wie er sich am deutlichsten
in den Partien über den gefallenen Engel, den verteufelten
Verführer und die vergottete Unschuld zeigt. Weist das
schon auf die geistesgeschichtlichen Ursprünge, so bestätigt
ein darauf beruhender Gegensatz nochmals die Milieu-
bewußtheit. Evchen wie Gröningseck kennen den englischen
sentimentalen Roman; beide sind Leser und Kenner Youngs,
den Evchen als Angehörige der höheren Bürgerschicht in
französischer Übersetzung liest – die deutsche Übersetzung
Eberts erschien fast ein Jahrzehnt vor der hier gemeinten
von Le Tourneur. Wiederum aus der Technik des Parallel-

kontrastes ist Frau Marthans pietistisches Erbauungsbuch der *Himmel- und Höllenfahrt* dieser Literatur bewußt entgegengesetzt.

Wie stark diese Technik den Anweisungen der von Wagner übersetzten theoretischen Forderungen Sébastien-Louis Merciers *Nouvel Essai du théâtre ou de l'art dramatique* folgt, ist hier nicht der Ort zu beschreiben. Es mag genügen, die stofflichen Anlehnungen zusammenzufassen. Mercier hatte in seinem ebenfalls von Wagner übersetzten *Essighändler* den Kaufmann als Paterfamilias vorgeführt, wie Wagner ihn im Meister Humbrecht wirksamer übertrifft. Der Valcour aus Merciers *Déserteur* war ein intrigierender Compagnon de débauche wie bei Wagner die Gestalt des Hasenpoth. Daß Bälle für Mittelklassen hauptsächlich dazu führten, Findlingsheime zu füllen, hatte ebenfalls Mercier in seinem *Nouveau Paris* verkündet. Die Fausthämmer lassen sich in der Tradition Shakespearischer Büttel sehen. Die Erziehungsmethode des Magisters zeigt einen Einfluß von Rousseaus *Emile*. Allgemein weisen die *Soldaten* von Lenz manche stoffliche Parallele auf, doch beruht dieses Drama auf einem wohl für Wagner unbedeutenden Ereignis der Straßburger Lokalgeschichte, der ausführlich belegten Cleophe-Fibich-Affäre mit den Herren v. Kleist, die Lenz als Hofmeister in das Elsaß begleitet hatte.

Wichtiger als diese Einzelzüge ist aber die moralische Grundhaltung des Bürgerlichen, die Wagner vertritt. »Schon die Richardsonschen Romane hatten die bürgerliche Welt auf eine zartere Sittlichkeit aufmerksam gemacht. Die strengen und unausbleiblichen Folgen eines weiblichen Fehltritts waren in der *Clarisse* auf eine grausame Weise zergliedert«, heißt es bei Goethe. Auch Wagner gehört unter die Nachfolger dieser Richtung, die in Deutschland durch Lessings *Miss Sara Sampson* eingeleitet wird und in der *Emilia Galotti* einen auch für Wagner noch nachwirkenden ersten Höhepunkt erreicht. Wagner vermischt die Hauptgestalten der drei großen Romane Richardsons: Evchen ähnelt besonders stark Pamela aus dem gleichnamigen Roman, in dem auch der Schlaftrunk als Mittel zur Verführung gebraucht wird, allerdings nicht um die Mutter einzuschläfern; der Gebrauch intriganter Briefe findet sich in der *Clarissa*; der soziale Unterschied der beiden Sexualpartner, die dann zu Liebespartnern werden, in beiden; und Gröningsecks seltsame Bekehrung zur Tugend nach der Verführung und im Angesicht der Verführten ergibt sich folgerichtig aus einer Verschmelzung der männlichen Hauptpersonen aller drei Romane: Lovelace, Mr. B. und Grandison.

Von hier aus läßt sich auch dem Vorwurf Goethes am besten begegnen, Wagners Stück sei ein Plagiat seines *Faust*-Planes. Besonders die Forschungen Liljegrens und Petriconis haben gezeigt, wie wichtig Richardsons Einfluß auf den *Faust* veranschlagt werden muß. Sieht man von den stofflichen Parallelen in Einzelzügen (dem Schlaftrunk für die Mutter, dem Ohnmachtsanfall in der Kirche und einigen wörtlichen Anklängen) ab, so bleibt die Gemeinsamkeit darin, die Möglichkeiten zur dramatischen Verwendung und Umgestaltung der Moral Richardsons erkannt zu haben. Sollte diese Gemeinsamkeit von Goethe ausgehen und bei Wagner schnell in die Tat umgesetzt worden sein, so half sein Stück sicherlich wiederum, Auswüchse und Härten bei der langen Reife des *Faust*-Dramas nicht nur zu vermeiden, sondern das Stoffliche auf eine höhere Ebene zu erheben.

Innerhalb von Goethes Gesamtwerk zeigen sich ferner Ähnlichkeiten zwischen dem *Clavigo* und Wagners Stück. In der Folgezeit wurde die Wagner-Lektüre für Schiller zu einer entscheidenden Anregung bei der Ausgestaltung von *Kabale und Liebe*.

Für die Döbbelinsche Truppe in Berlin schrieb Karl Lessing *Die Kindermörderin* um, die er wie sein berühmterer Bruder für ein Werk von Lenz hielt. Dabei merzte er nicht nur den Kraftstil aus, der Wagners wichtigstes Zugeständnis an das Geniedrama darstellte, die kleinliche Umstellung der Charaktere und ihrer Beziehungen zueinander, die interpolierten Szenen und Hinweise auf das preußische Militärwesen ergeben ein farbloses Machwerk.

Aber auch in dieser Form wurde das Drama nicht für die Aufführung in Berlin freigegeben. Hingegen kam Wagners Originalfassung zur gleichen Zeit in dem Wahrschen Theater in Pest und Preßburg zur Darbietung. Wagner, der inzwischen für die Seylersche Truppe in Frankfurt tätig geworden war, schrieb noch 1777 selbst sein Stück um. Der

neue Titel *Evchen Humbrecht oder Ihr Mütter merkts Euch!*
verweist bereits auf die Umwandlung ins Tragikomische.
Durch die Verkehrung in einen glücklichen Ausgang wurde
Die Kindermörderin zum bürgerlich-sentimentalen Sozial-
lehrstück. In dieser Form wurde es von der Seylerschen
Truppe am 4. September 1778 in Frankfurt und noch bis
1813 auf ungarischen Bühnen mehrfach mit Erfolg aufgeführt.

Eine zweite Uraufführung erlebte die Originalfassung
1904 wieder an einem 4. September auf Otto Brahms Neuer
Freier Volksbühne in Berlin. Hier wurde es als bedeutsamer
Vertreter eines frühen Naturalismus gewertet, jedoch quali-
tativ unter die aktuelleren Behandlungen in Hebbels *Maria
Magdalene* und Hauptmanns *Rose Bernd* gestellt. Entfernte
Nachahmungen im Gewande dieses neueren Naturalismus
erzielte es dann noch in O. E. Hartlebens *Rosenmontag* und
dessen *Serenyi*-Erzählung.

In jüngster Zeit hat Peter Hacks mit seiner Bearbeitung
Wagners Stück paradigmatischen Wert für den ideologischen
Klassenkampf abzugewinnen getrachtet. Dem heutigen
Theatergänger soll durch Veränderungen und Ergänzungen
die »Existenz von Klassenschranken« als Grundlage des
Dramas ins Bewußtsein gerufen werden. Das moralische
Leid der Titelheldin wird in ein politisches Elend verwan-
delt. Evchen wächst als Märtyrerin ihrer Klasse über die
Enge der Klassenschranken hinaus. Der Kindesmord unter-
bleibt; Gröningseck kehrt absichtlich zu spät nach Straßburg
zurück und verstößt Evchen. Auch der Magister schlägt ihre
Hand aus, da er fürchtet, daß ihr Leumund seine zukünftige
Einsetzung in eine Pfarre gefährden könne. So ist Evchen
durch die Unterlassung des Kindesmords zur Verbrecherin
an den übermächtigen Klassenschranken geworden! Durch
diese Erfahrung belehrt, verläßt sie den »Kerker von Pflicht
und Bosheit«, um mit ihrem Kind und für es das Land der
Freiheit und einer menschenwürdigen Zukunft zu suchen.
– Um seinem Publikum diesen Hohlspiegel der Geschichte
vorzuhalten, vermischt Hacks Elemente der verschiedenen
Bearbeitungen, mischt platte, pseudo-komische Einfälle ein,
die nicht nur die Mischform des »Lust- und Trauerspiels«
ergeben, sondern der Entwicklung der Charaktere, dem ur-

sprünglichen Geist und der Anlage des Stücks hohnlachen.
Peter Hacks' Bearbeitung führt Wagners *Kindermörderin*
nochmals »über den Gänsmist«. Seine Tragikomödie bietet
eine Reise in die Vorgeschichte eines Staates, der sich für
klassenfrei hält. Noch a posteriori wird Evchen Humbrecht
ein Protest untergeschoben, den die neue politische Wirklichkeit in der Umgebung des Bearbeiters überflüssig gemacht
haben soll. Die Apotheose und das Denkmal, das hier der
Mutter eines neuen Menschentypus errichtet werden soll, ist
trügerisch und entspricht nur dem Wunschbild des Nach-
geborenen.

Literaturgeschichtlich bietet Wagners *Kindermörderin* ein
bedeutsames Zeugnis, das auf die anregenden Vertreter west-
europäischer Literatur verweist, in der konsequenten Auf-
nahme der Anweisungen Merciers seinen theatralischen
Sondercharakter erzielt, durch die häufigen Nachdrucke und
die Umarbeitungen seine zeitgenössische Bedeutsamkeit er-
weist und durch die Verbindungen zu der folgenden Klassik
und späteren Vertretern des sozialen Dramas seinerseits
geistesgeschichtliche Anregungen und Bezüge herstellt.

INHALT

Dramen des Sturm und Drang

IN RECLAMS UNIVERSAL-BIBLIOTHEK

PHILIPP RECLAM JUN. STUTTGART

J. M. R. Lenz

IN RECLAMS UNIVERSAL-BIBLIOTHEK

Anmerkungen übers Theater. Shakespeare-Arbeiten und Shakespeare-Übersetzungen

Herausgegeben von Hans-Günther Schwarz.
UB Nr. 9815 [2]

Gedichte

Herausgegeben von Hellmut Haug. UB Nr. 8582

Der Hofmeister

Komödie. Mit einem Nachwort von Karl S. Guthke.
UB Nr. 1376

Die Soldaten

Komödie. Mit einem Nachwort von Manfred Windfuhr.
UB Nr. 5899 – dazu *Erläuterungen und Dokumente.* 8124

PHILIPP RECLAM JUN. STUTTGART